PAS PEUR
DU NOIR

Marilou Bourassa
PAS PEUR DU NOIR

Libre Expression

Une société de Québecor Média

Catalogage avant publication de Bibliothèque et Archives nationales du Québec
et Bibliothèque et Archives Canada

Bourassa, Marilou

    Pas peur du noir
    ISBN 978-2-7648-0883-2
    I. Titre.

PS8603.O965P37 2013   C843'.6   C2012-942691-1
PS9603.O965P37 2013

Édition : Nadine Lauzon
Révision linguistique : Gervaise Delmas
Correction d'épreuves : Céline Bouchard
Couverture : Axel Pérez de León
Illustration de couverture : Jasmin Guérard-Alie
Grille graphique intérieure et mise en pages : Axel Pérez de León
Photo de l'auteure : Sarah Scott

Cet ouvrage est une œuvre de fiction ; toute ressemblance avec des personnes ou des faits réels n'est que pure coïncidence.

Remerciements
Nous reconnaissons l'aide financière du gouvernement du Canada par l'entremise du Fonds du livre du Canada pour nos activités d'édition.
Nous remercions le Conseil des Arts du Canada et la Société de développement des entreprises culturelles du Québec (SODEC) du soutien accordé à notre programme de publication.
Gouvernement du Québec – Programme de crédit d'impôt pour l'édition de livres – gestion SODEC.

Les Éditions Libre Expression
Groupe Librex inc.
Une société de Québecor Média
La Tourelle
1055, boul. René-Lévesque Est
Bureau 300
Montréal (Québec) H2L 4S5
Tél. : 514 849-5259
Téléc. : 514 849-1388
www.edlibreexpression.com

Dépôt légal – Bibliothèque et Archives nationales du Québec et Bibliothèque et Archives Canada, 2013

ISBN : 978-2-7648-0883-2

Distribution au Canada
Messageries ADP
2315, rue de la Province
Longueuil (Québec) J4G 1G4
Tél. : 450 640-1234
Sans frais : 1 800 771-3022
www.messageries-adp.com

Diffusion hors Canada
Interforum
Immeuble Paryseine
3, allée de la Seine
F-94854 Ivry-sur-Seine Cedex
Tél. : 33 (0)1 49 59 10 10
www.interforum.fr

Avertissement au lecteur

Tous les événements décrits dans ce livre
sont vraisemblables,
à l'exception du fait que Chloé puisse passer,
dans les circonstances rapportées,
autant d'heures loin d'Antoni.

À TJM.

Préface

Lorsque Marilou Bourassa m'a envoyé un extrait de son livre, j'ai été, d'entrée de jeu, séduite par l'originalité de son approche, la profondeur de son propos et la qualité de l'écriture. Et c'est avec plaisir que j'ai accepté d'écrire une préface pour son ouvrage.

Chaque année, au Canada, une grossesse sur quatre se termine par un décès périnatal, que le bébé soit perdu durant la grossesse ou dans les premières semaines de sa vie.

Perdre un bébé, attendu et aimé, est une tragédie pour les parents.

Contrairement à l'idée répandue, ce n'est pas seulement un fœtus, un être inachevé, qui disparaît. C'est un véritable enfant que les parents voyaient déjà grandir dans leur famille, pour lequel ils faisaient des rêves et avaient mille projets. C'est une vie complète qui ne sera pas vécue…

Plusieurs livres ont été écrits par des parents ayant vécu cette expérience. Avec le temps, l'impact du décès périnatal devient mieux compris. Ces dernières années, plusieurs médias ont abordé le sujet et des parents en ont témoigné en direct. L'interruption médicale de grossesse (IMG) demeure beaucoup moins connue. Et pourtant, 12% des pertes périnatales sont le lot de parents qui vivent le drame de la découverte d'anomalies sévères chez leur bébé bien-aimé et qui doivent prendre la décision déchirante d'interrompre la grossesse.

Ce livre est plus qu'un témoignage racontant l'histoire triste de la courte existence d'un enfant; c'est un roman dans lequel, à travers des rencontres stratégiques, riches en dialogues savoureux, l'auteure développe son propos. C'est un livre touchant, un livre vrai comme la vraie tempête qui s'abat sur la vie de ce couple.

Malgré les particularités de la perte de son fils, le récit de Marilou est universel et touchera tous les parents endeuillés et ceux qui les côtoient. Il contribuera à sensibiliser la société et les professionnels de la santé au drame vécu par les parents afin que ceux-ci reçoivent un meilleur soutien. Cet ouvrage rejoint en filigrane les objectifs que je me suis fixés depuis le début de mon implication auprès des parents endeuillés de leur bébé, il y a vingt-cinq ans.

Au hasard des rencontres que Chloé, le personnage principal du roman, accepte de faire, elle apprend à mettre sa souffrance en perspective et découvre les multiples facettes de la douleur morale.

Ces rencontres vont alimenter la réflexion de Chloé pour la faire évoluer dans le deuil et l'amèneront à la découverte de ses forces profondes et de la force de son couple. Ce véritable voyage à l'intérieur de soi encourage le lecteur à trouver des réponses qui lui correspondent et qui peuvent changer sa façon de voir la vie.

Pas peur du noir est un livre unique dans le domaine du deuil périnatal. Ce n'est pas un ouvrage si lourd qu'on ne puisse l'affronter qu'à petites doses : c'est un récit dont on se surprend à vouloir connaître la suite, comme tout bon roman. Il contient des perles de sagesse qu'on a le goût de noter sur un Post-it pour les relire souvent :

« Le deuil [...] c'est tout ce que vous allez faire pour remplir le trou de votre cœur ! »

« Arrêtez d'argumenter sur ce que vous avez perdu ; cherchez ce que vous avez gagné. »

L'auteure a pris la décision de plonger dans son deuil en ayant la conviction qu'elle pourra être de nouveau heureuse. Et c'est ce message d'espoir que porte ce livre. Son propos transcende le deuil périnatal ; il rejoint tous ceux qui ont perdu une personne aimée ou traversé une épreuve importante dans leur vie.

Je vous souhaite le même plaisir que j'ai eu à lire ce livre, et qu'il allume l'espoir que la lumière du bonheur existe après avoir surmonté la peur du noir inhérente au chagrin et au deuil.

Suzy Fréchette-Piperni
Infirmière spécialisée en deuil périnatal et auteure du livre
Les Rêves envolés – Traverser le deuil d'un tout petit bébé,
Éditions de Mortagne, 2005.

PROLOGUE

11 avril – Une journée dans la vie de Kimi

J'avais fini par pondre un œuf X qu'un têtard Y avait bien voulu embrasser ! À trois semaines de grossesse, pour annoncer la bonne nouvelle au futur papa, je lui avais lancé fort maladroitement : « Tes samedis matin sont comptés, mon amour ! », l'annonce assortie d'une solide tape à l'épaule. Nous avions vécu ensuite, à dix semaines, la joie d'entendre le cœur fœtal ; à douze, l'angoisse d'un saignement ; à dix-huit, l'étonnement du premier coup de pied ; à vingt-quatre, le soulagement de savoir le bébé désormais viable ; à trente-deux, le bonheur de la dernière échographie avant le grand jour.

La voix de ma gynécologue au bout du fil, pourtant aussi professionnelle que d'habitude, au lendemain de cette échographie, avait toutefois fait naître la flamme d'une appréhension. Elle proposait de reprendre l'échographie, question de valider les mesures des os longs du bébé. J'avais raccroché en me raccrochant à son ton badin, à son conseil de ne pas me faire de mauvais sang : il s'agissait simplement de réévaluer la situation à la lumière d'appareils plus performants.

On ne se formalisait donc pas de ce suivi que nous avait conseillé la gynéco : l'écho nous avait montré la veille un petit garçon vigoureux, un tantinet timide, qui exposait aux ultrasons une colonne vertébrale d'une superbe régularité et faisait vibrer la petite salle d'examen de ses battements cardiaques décidés. Mais on parlait quand même d'un centre hospitalier spécialisé dans le soin des maladies infantiles. On tâchait de penser plus à l'après-midi de congé sous le soleil printanier qu'on gagnait qu'à l'investigation qu'on allait nous proposer en gynécologie.

7 heures
Or, c'est justement là qu'on a un premier choc : le bloc 1 du premier étage n'est pas celui des sciences de l'obstétrique, mais plutôt celui où il est question de la génétique. On nous présente d'abord à une infirmière qui parle avec trop de compassion pour ne pas éveiller notre inquiétude, un sentiment qui se confirme avec les informations qui nous arrivent par à-coups désagréables : «... la longueur des fémurs inférieure au cinquième percentile... », «... le scénario de la journée... », «... l'ensemble des spécialistes se rencontrera en table de concertation sur l'heure du midi après les premiers résultats ». La main de Jonathan dans la mienne se fait tout à coup plus appuyée.

On nous guide vers le secteur de l'imagerie médicale en nous assurant qu'avec le code estampé sur notre formulaire, on embarque sur la voie rapide... une fois seulement que notre numéro sorti de la roulette rouge de boucher nous permet de remettre le dossier dans les mains d'une infirmière. La bedaine en offrande, les yeux sur l'écran, je retrouve, dans le jeu des ombres, Kimi, qui n'a pas changé de position depuis la semaine précédente. «Ne doutez pas que votre bébé est bien!» nous dit l'échographiste en alignant ses observations mêlées de nombres et d'hypothèses préliminaires. Elle s'avance finalement sur un premier diagnostic : achondroplasie. À mon avis, c'est trop de syllabes pour que ce soit une bonne nouvelle...

9 h 30
Devant les conseillères en génétique, nous exposons notre pedigree généalogique afin de déterminer nos profils, d'évaluer l'hypothèque de nos bagages génétiques respectifs. On en apprend peu, sauf peut-être un synonyme de l'achondroplasie : le nanisme.

10 heures
Dans le stationnement de l'hôpital, même le soleil nous semble malade. On hésite quant à la façon de tuer les trois heures qui nous séparent de la rencontre avec la généticienne. On fait le pari que le retour à la maison nous sera bénéfique. Je sens Jonathan plus ébranlé que moi, mais en même temps, j'appréhende plus que lui la confrontation à la table d'experts. Plus tard, on comprendra que les scénarios que je m'étais faits étaient plus sombres (cancer des os ? maladie des os de verre ?) que ceux de Jonathan, qui se disait que le petit Kimi allait devoir être encore plus tough que nous à l'école... Alors que Jonathan s'est assoupi pour décanter ses émotions, je décide de démystifier l'achondroplasie. Mais les mots de Wikipédia et les illustrations de Google Images transforment ma lecture en film d'horreur. J'éteins l'ordi en contrôlant ma respiration comme un yogi et me convaincs de n'en pas glisser mot à Jonathan.

13 heures

Dans la salle d'attente du bloc 1, les revues sont insipides, la vue des jeux d'enfants nous est cruelle et on connaît par cœur le slogan de tous les posters défraîchis. On nous introduit finalement dans une petite pièce où la généticienne prend place, avec sur les talons son étudiante qui demeurera pour nous un visage flou, une ombre de plus dans le cabinet médical. La généticienne nous demande en premier lieu ce qu'on nous a dit du premier diagnostic. Jonathan avance une réponse d'une voix que je ne lui connais pas, pointant dans le dossier médical un mot qui ne veut rien dire. Je mesure tout son désarroi. La généticienne poursuit, s'attaquant aux faits sans peur des mots, mais à un rythme qui nous permet d'assimiler la volée de coups : elle rejette la piste du nanisme, spécifiant que notre bébé ne cadre pas avec les chondroplasies classiques (espoir), mais l'échographie du matin ayant révélé que certains organes, dont les reins, semblent affectés également d'une dysfonction (rechute), elle en vient à justifier le besoin d'approfondir les recherches et présente les choix plus ou moins invasifs qui s'offrent. Elle nous explique les avantages de savoir comparés aux dangers d'investiguer, les délais d'analyse par rapport à la nécessité d'être prêts, les fausses peurs faites aux parents face à son devoir d'investigation... On tente de fuir : «Mais Kimi ne va-t-il pas bien ? Sa pression sanguine, la grosseur de son cerveau, ses fréquences cardiaques, tous ses coups de pied qui émerveillent... ?» «Oui, mais on ne sait pour combien de temps. On suspecte déjà une insuffisance rénale par le peu de liquide amniotique présent (il faut alors possiblement prévoir une chirurgie à la naissance ou de la dialyse), il se peut également que d'autres organes soient touchés (l'écho n'ayant pas tout montré...) et on ne peut négliger le fait qu'actuellement le bébé a les pieds plus longs que les fémurs, un retard de croissance trop important pour imaginer que les sept dernières semaines de grossesse pourraient tout racheter.»

La terre avait tremblé le matin, et c'était maintenant que le tsunami nous cassait les jambes.

Je tente de faire une blague: «Bon, je pense que je vais oublier le travail demain et faire la grasse matinée...» Jonathan, qui pleure déjà depuis le mot «dialyse», m'attrape la cuisse, essaie de sourire. En même temps, comme l'eau qui monte, la situation commence à m'apparaître dans son ensemble: je n'accoucherai pas à l'unité des naissances à côté de la maison, ma grossesse est désormais classée «à très hauts risques», je devrai être suivie sur une base quasi hebdomadaire à la clinique des grossesses à risques, Kimi pourrait devoir être hospitalisé longtemps avant de connaître le confort de son petit moïse... Je cherche bêtement à cacher mes pleurs, mais je suis coincée, encagée entre deux murs et le bureau de la généticienne. Et Jonathan. Jonathan qui me cherche comme je le cherche.

La généticienne, patiente, poursuit tranquillement. Il n'y a pas de traitement envisageable pour l'instant, mais l'investigation pourrait permettre de gagner du temps pour, entre autres, être plus préparés à la naissance, pour faciliter les prises de décisions face aux différents scénarios qui se présenteront. Toutefois, rien ne justifie que le plan de naissance soit révisé (on maintient l'accouchement naturel) ni que l'on s'imagine que le bébé n'est pas viable. Jonathan me confirme que j'ai bien compris: on ne parle pas non plus de provoquer la naissance.

Mais voilà, des décisions doivent être prises et ça commence maintenant: souhaite-t-on qu'il y ait investigation ou veut-on attendre la naissance? Investigation. Choisissons-nous le prélèvement du sang de cordon (résultats plus probants, plus rapides, mais danger pour le cœur du bébé) ou l'amniocentèse (sans danger pour le bébé, sauf le risque d'une naissance prématurée... possiblement la journée même)? Jonathan souffre encore plus d'imaginer que Kimi serait de surcroît aux prises avec des problèmes pulmonaires causés par un accouchement prématuré. Mais allez! Faut choisir... L'amniocentèse.

La généticienne se lève. L'entretien est terminé. Elle nous assure que vu le casse-tête que pose notre bébé, elle devra se pencher en soirée sur ses bouquins de médecine pour tenter de comprendre quelle cause cache l'ensemble des manifestations, car les problèmes relevés ne peuvent être analysés isolément. D'ailleurs, pour la suite des choses, c'est avec l'obstétricienne qu'il faudra continuer afin d'évaluer si l'amnio est praticable. En attendant ce rendez-vous, on nous promet quelques minutes de solitude. Jonathan veut émettre un commentaire, mais sa voix se brise. Je le devine: « Si nous avons encore plusieurs spécialistes à rencontrer, ne tentez pas de nous ménager avec des temps d'attente. Faites-nous rencontrer tout le monde et on vivra ce qu'on a à vivre plus tard. » La généticienne sourit. « Vous êtes un couple bien assorti, se permet-elle, on vous sent très complices et ça vous aidera beaucoup. » J'ai envie de dire qu'on s'est choisis, qu'on a choisi Kimi, mais je suis alors tout aussi aphone que Jonathan.

La pièce n'est pleine que de notre détresse. On comprend C-3PO, le droïde de Star Wars, qui regarde partout en cherchant à récupérer tous les morceaux de son corps brisé. Jonathan me fait voir un autre pan de réalité : « Veux-tu que j'appelle Valéry ? Si tu dois accoucher aujourd'hui, autant avoir l'accompagnante de naissance dans notre équipe. Je peux aussi retourner à la maison s'il y a quelque chose que tu tiens à avoir. » Je mesure le poids de la décision qu'on vient de prendre, celui d'un accouchement probable, voire imminent. On révise le plan de naissance et on s'entend rapidement : si les choses tournent mal, pas de réanimation, le deuil plutôt que l'acharnement.

L'obstétricienne nous accueille quelques minutes plus tard dans le bureau adjacent. Elle n'est pas barrée et attaque d'emblée derrière ses lunettes en corne : « Et puis, on y va pour l'amnio ou non ? » C'est moi qui réponds, ce à quoi elle réplique : « Vous êtes la femme forte du couple ? » Les larmes ne sont pourtant pas loin. Au lieu de rétorquer que, au contraire, c'est parce que je ne comprends pas tout que je fonce aveuglément, je dis simplement qu'on se partage le rôle. À Jonathan qui l'interroge, l'obstétricienne explique que malgré le peu de liquide amniotique, l'analyse des images de l'échographie a montré quelques petites piscines de liquide qui seraient accessibles. Puis, elle m'expose le déroulement de l'intervention à froid, la douleur de l'aiguille dans l'utérus, la promptitude de l'équipe médicale à m'accueillir en salle d'accouchement advenant le déclenchement des contractions. Un regard à son téléavertisseur et elle nous annonce que, de facto, l'équipe d'intervention nous attend. Je me dis, pour me conforter, que ce sera moins rude qu'un don de sang et que, cette fois-ci, je le fais pour mon propre enfant…

De retour au département de l'imagerie médicale, la procédure s'enclenche : présentation à un huitième intervenant depuis le matin, vérification des identifications des éprouvettes, signature de formulaires, position allongée, délimitation de la zone stérile, allumage du moniteur, aiguille... L'utérus bougonne du dérangement, se contractant par vagues légères sur le flanc droit. Mon bébé est bon enfant. Je souris à Jonathan pour ne pas l'inquiéter inutilement. Sur l'écran, Kimi est trop grand, ironiquement, pour que l'on perçoive bien sa physionomie, mais je m'accroche à l'idée que peu de mamans auront eu autant de rendez-vous avec leur bébé que l'on m'en a donné. En une minute et trois éprouvettes, la petite piscine de liquide a pratiquement disparu de l'image et le point lumineux de l'aiguille se retire comme un mauvais souvenir.

Jonathan est près de moi, et on décide que je me sens suffisamment bien pour la dernière rencontre avec la néphrologue. À l'accueil du bloc 1, on nous informe plutôt que le rendez-vous a été reporté (j'avoue que l'on avait une chance sur deux cents que je sois en train de mettre notre fils au monde...) et que nous serons convoqués dans deux semaines pour confronter les premiers résultats des analyses génétiques. Prévoyant, Jonathan demande qui contacter en cas de complications. La jeune infirmière qui nous avait accompagnés à l'aube s'offre spontanément : « Vous m'appelez n'importe quand pour n'importe quoi. Et ce soir, vous louez un film de filles, vous vous préparez un gros bol de popcorn et vous profitez de la vie. » Je lui réponds : « Vous avez développé une expertise en couples éclopés ? » Elle réplique avec douceur : « N'allez pas imaginer que vous êtes les seuls... »

15 heures
Main dans la main, on retrouve le grand air, les pié-
tons et les klaxons pressés. Dans le stationnement où
on découvre que l'auto a été mise en boîte par quatre
autres voitures, Jonathan n'est pas fâché de s'en prendre
à quelqu'un et lance crûment au gardien : « Si t'es pas
capable de m'avoir mon char dans cinq minutes, va
falloir que tu changes d'hôpital pour tes traitements
d'orthodontie ! » Assise dans l'auto, je ne minimise pas
le fardeau des heures à venir, mais en regardant mon
chum, je reste convaincue qu'à deux on a la fougue
pour barber le sort.

28 avril – Une journée dans la vie d'une orgueilleuse

Cette fois-ci, la journée avait commencé par la livraison
à l'hôpital du quartier d'un gallon d'urine minutieu-
sement collectée. C'est qu'en plus des nausées, des vomis-
sements, des reflux gastriques, de l'hyperglycémie et des
trente-huit livres pondérales (bénéfices nets gagnés en
trente-cinq semaines) qui me défrisaient le petit orteil,
ma grossesse capricieuse menaçait maintenant mes
mictions de protéines (risques de prééclampsie). Nous
avions donc deux hôpitaux à courir avant l'heure des
poules, ça donnait le ton à la journée.

~~*7 h 30*~~ *8 h*
Malgré un premier rendez-vous manqué, on doit impé-
rativement passer par le 1ᵉʳ étage – Bloc 1 pour récu-
pérer la paperasse qui nous donnera accès aux autres
rendez-vous. Comme il s'agit dans un premier temps de
refaire un bilan de la santé fœtale et qu'on parle alors
d'une imagerie médicale « de contrôle », on ne bénéficie

pas de la fameuse estampe CIDP[1] pour passer vite fait l'échographie. Plus impatients qu'inquiets, on s'aplatit donc les fesses dans la salle d'attente près de deux heures avant d'être appelés au 1ᵉʳ étage – Bloc 9 – Porte 33.

~~9 h~~ ~~9 h 45~~ *9 h 50*
On manque la rencontre planifiée avec la généticienne, puis celle de l'échographie cardiaque fœtale pour retrouver la même radiologiste que la dernière fois, qui reprend la valse des mesures. Premier constat : le niveau de liquide amniotique est revenu à la normale. Tout à notre bonheur, Jonathan et moi nous tapons dans la main comme si les Canadiens avaient eu le dernier mot sur les Bruins en séries. Le médecin poursuit, assurant ne déceler aucune dégradation des reins malgré leur petitesse, et note au passage que les os longs ont bien grandi même s'ils témoignent toujours d'un retard de croissance. Ces nouvelles sont un baume sur nos cœurs fraîchement rafistolés, et on se permet même de sourire lorsqu'elle nous désigne sur l'écran la couenne abdominale que le bébé commence à former, ce qui fait dire malicieusement à Jonathan : « Il tient ça de sa mère ! »

Les mesures reprennent : le cœur, la pression des artères utérines, le cœur, le pouls du bébé, le cœur… Je commence à être mal à l'aise dans ma position de tortue sur le dos. « C'est bien aujourd'hui que vous devez passer l'échographie cardiaque, n'est-ce pas ? » s'enquiert la radiologiste. On confirme, sans mots inutiles. Elle s'attarde finalement sur le crâne, répétant sa

---

1. Centre intégré de dépistage prénatal : structure nationale pluridisciplinaire investie dans la médecine fœtale des grossesses à risques.

prise de mesures, un geste qui ne nous leurre plus, même si elle tente de le justifier. « À ce stade-ci, avec la calcification des os, on perd un peu de clarté de l'image… Le ventricule gauche du cerveau m'apparaît plus gros que le droit, un phénomène que l'on voit de plus en plus fréquemment, spécialement chez les garçons », conclut-elle. Est-ce que le commentaire se voulait rassurant ? Comment interpréter une telle information venant d'une spécialiste qui coule ses jours à dépister les maladies infantiles ?

Dans le corridor, en attendant le rapport, j'observe un infirmier qui fait rouler le fauteuil d'une jeune maman entrevue une heure plus tôt dans la salle d'attente. Son regard rivé sur le bas des murs m'est familier ; les mains sur les genoux, paumes vers le haut, me rappellent une lassitude qui dépasse l'entendement. Je regarde l'écriteau sur la porte devant laquelle l'infirmier a immobilisé le fauteuil roulant : « Amniocentèse ». Mon cœur se serre : on partage le même lot, celui d'une cruelle loterie.

Le rapport médical me tombe dans la main et, de l'autre, j'attrape celle de Jonathan pour poursuivre notre course aux rendez-vous avant qu'une émotion plus qu'une autre ne nous rattrape.

10 h 50
Face à la porte close du petit secrétariat de la cardiologie fœtale (4ᵉ étage – Bloc 9 – Porte 19), on hésite en lisant « Entrer » et « Tenir cette porte fermée ». Vraiment, tous les ingrédients concourent à nous plonger dans le théâtre de la maison des fous d'Astérix. La jeune secrétaire n'a pas de bonnes nouvelles pour nous : les échos cardiaques nécessitant un appareillage particulier,

23

il ne sera pas possible, vu le retard encouru, de procéder à l'examen aujourd'hui. Le 4ᵉ étage – Bloc 9 – Porte 19 se coordonne alors avec le 1ᵉʳ étage – Bloc 1 pour nous planifier de nouvelles rencontres dans une semaine. Entre-temps, on tergiverse quant à la suite des choses : se présente-t-on en génétique avec deux heures de retard ou pile à l'heure à la clinique GARE[2] pour le suivi de grossesse ? Invoquant une économie de pas, la secrétaire nous conseille la seconde option : 4ᵉ étage – Bloc 9 – Porte 14.

11 heures
Pour la première fois depuis le début de nos va-et-vient dans l'hôpital, nous tombons sur une sorcière, une de ces infirmières technocrates, lunettes de presbyte sur le bout du nez et coupe courte ; tout sauf charismatique, avec plus de soupirs dans la voix que de mots réconfortants. Elle demande à voir notre formulaire rose (que l'on n'a pas), exige que l'on passe par l'inscription (« Pour la paie du docteur ! ») et n'entend pas prêter l'oreille à l'historique de nos rendez-vous manqués. Jonathan, qu'une prise de bec est loin d'intimider, signifie à la sorcière qu'il ne bougera pas tant qu'on ne lui aura pas indiqué dans lequel des départements, de la génétique ou de l'obstétrique-gynécologie, il attendrait le moins. La sorcière accepte alors de vérifier le contenu de notre dossier, dont elle finit par comprendre qu'il ne lui a pas été transmis, et nous informe qu'il faut donc passer d'abord par la génétique (1ᵉʳ étage – Bloc 4)…

---

2. GARE : clinique pour le suivi des grossesses à risques élevés.

11 h 45

La généticienne devait nous voir dans un délai de dix minutes, mais au fil des Elle Québec, 24H et Métro, on égraine une autre demi-heure. Elle nous accueille enfin dans un petit bureau aussi anonyme que celui de la première fois, permettant à sa résidente en médecine pas moins anonyme de s'installer un peu à l'écart. S'excusant pour l'attente, elle nous annonce d'emblée que le retard est justifié par l'appel qu'elle vient d'avoir à l'instant pour confirmer le bilan des analyses commandées le 11 avril. «Ils ont trouvé quelque chose», nous dit-elle simplement. Elle nous résume les faits : l'amniocentèse a révélé une «anomalie chromosomique structurale». Le mal du bébé n'a donc pas un nom poétique... Ainsi, il n'est plus question de nanisme, mais plutôt d'une duplication du chromosome 17 venue se rattacher accidentellement au chromosome 22. En d'autres mots, dans un débordement d'affection, on a transmis au bébé un surplus de gènes. Que va faire son petit corps de ces données en extra? Pour l'instant, on ne connaît que ce que laisse voir l'échographie. Du coup, on a l'impression de glisser sur un serpent sans possibilité d'attraper une échelle... Retour à la case départ. Sauf que... cette fois, le gant qui gifle est plus de fer que de velours. Les faits connus sont inchangés et la généticienne nous révèle ce que la radiologiste nous avait tu : un cœur surdimensionné et une boîte crânienne petite (non proportionnelle à la grandeur des ventricules cérébraux) qui trahit une atteinte neurologique.

Je perds pied. Malgré ma bonne volonté de m'accrocher au fil du discours. Ma peine déborde, mais j'ai l'orgueil de ne pas me répandre. Je comprends

clairement qu'il est vain d'espérer les «peut-être», les
«il y a encore des chances que...». Je serai incapable
de la moindre parole durant le reste de l'entretien. Le
verdict est tombé. Seule la naissance nous confirmera le
niveau réel de sévérité des atteintes. Les explications se
poursuivent, mais je ne réussis pas à m'extirper d'une
douleur gluante que je ne souhaite pas nier, seulement
retarder. Jonathan, qui me chuchote à l'oreille «Respire lentement», questionne la généticienne sur ce que
laisse penser la littérature des cas similaires au nôtre.
La généticienne admet que notre bébé s'avère le premier cas de duplication chromosomique diagnostiqué
au stade fœtal qu'elle rencontre et affirme que, pour le
peu qu'elle en a lu avant de nous accueillir, les manifestations sont aussi variées qu'imprévisibles : il serait
aussi malavisé que cruel de les lister ou de fureter à leur
recherche sur Internet. Elle nous informe cependant
que, l'étude du chromosome 22 se poursuivant en labo,
on peut espérer en connaître davantage d'ici quatorze
jours, toujours dans le but d'améliorer l'encadrement
de la naissance. Elle nous présente finalement un formulaire pour autoriser la suite de l'investigation qui
s'intéressera, cette fois, à notre ADN. On comprend
qu'est sous-entendu ici le calcul des risques que compor-
teraient d'autres grossesses... Dans l'instant, spectres
d'enfants sans visage.

12 h 30
On fronce les sourcils lorsque la généticienne dépose
devant nous une petite valise fermée d'un Ty-Rap.
«C'est le protocole, s'excuse-t-elle. On vous donne la
responsabilité de transmettre votre dossier aux intervenants de l'hôpital, mais pas le droit de le consulter...»

Généreuse d'humanité, elle nous tend également une carte professionnelle dont elle présente d'abord le verso, bleu de sa calligraphie de docteure : « Mon courriel personnel. Je ne le donne jamais, mais votre situation me touche beaucoup. Vous avez une façon bien à vous de réagir et quand vous aurez des questions, j'aimerais être là pour vous. »

12 h 45
Dans la cafétéria, je mâchouille un wrap au poulet dont ma bouche ne sait que faire. Mes pensées courent et me perdent. Je me dis que je devrais manger pour Kimi... Kimi ? Mais qui est Kimi ? A-t-il encore à voir avec l'enfant qu'on imaginait inscrire à l'école de voile ? Qu'on voyait jouer avec le fils du voisin ? Bouder ses participes passés ? Je pleure l'étrangeté, je pleure ma peur. Je m'alarme de ces pensées que je ne contrôle pas. Jonathan me ramène dans un présent de sel, de néon, de bruit et de lui, me disant en douceur : « Ne réfléchis pas, n'anticipe pas. » Plus tard, on se dira tout sans censure, pour exorciser les démons, pour purger la violence des émotions qu'il faudra laisser émerger, se consumer, avant que l'on puisse envisager de renaître tels deux phœnix.

~~13 h~~ 13 h 30
Encore un rendez-vous reporté, non respecté. L'obstétricienne se fait attendre. Je fixe mon attention sur les jours fériés d'un calendrier mural. Ne pas penser. La sorcière a accepté, à la demande de Jonathan, de nous ouvrir une salle de consultation privée pour nous épargner la salle d'attente publique. La rencontre avec l'obstétricienne est brève et porte principalement sur

les modalités du suivi de fin de grossesse (elle me prend désormais totalement en charge tous les jeudis), de l'admission à l'unité des naissances le jour de l'accouchement et de l'organisation du postnatal. « Je vous sens infiniment tristes, vous avez besoin de retourner à la maison pour vous retrouver. On regardera le reste la semaine prochaine. » La semaine prochaine... Un vide. Impossible d'imaginer comment déjà demain *pourrait* ne pas être un autre aujourd'hui.

14 heures
L'air libre. Le soleil qui tient en respect les nuages d'un orage imminent. Les détours-surprises du boulevard Décarie me rappellent mon rôle de copilote afin de guider Jonathan, qui louvoie aisément dans la circulation. On emprunte le chemin de la Côtedes-Neiges comme alternative pour débouler ensuite Atwater jusqu'à Saint-Jacques, d'où l'on peut entrevoir le lieu de nos premières amours. Mon cœur chavire et mes pensées filent sur une toute nouvelle bretelle. Sept ans plus tard, je ne suis pas moins amoureuse de Jonathan, je me sens forte d'être dans son équipe : à nous deux, on forme déjà une famille. Je prends toute la mesure de la fierté que j'avais de porter son fils et d'imaginer tout le bonheur qu'il pourrait vivre à travers moi. Je pèse combien j'étais orgueilleuse d'attendre ce petit bout de cul qui allait devenir l'héritier de nos valeurs, de nos éducations et apprentissages, de nos réalisations. Et alors, les paroles de Ginette Reno me reviennent : « On souffre à la hauteur de notre orgueil. » Colombe blessée qui cherche un courant ascendant pour se poser légèrement, j'accuse de plein fouet mon péché d'amour.

6 mai – Une première journée sans Kimi

6 h 14
Souvent, se réveiller dans des lieux étrangers crée momentanément un vertige. Comme la sensation qui suit l'instant de suspension quand on exécute un saut sur un trampoline. Le temps suspendu comme lorsqu'on est aveuglé l'été par un rayon de soleil réfracté par le passage furtif d'une voiture. Mais cette fois, je n'ai pas ce luxe en ouvrant les yeux sur l'univers de la petite chambre bleu bébé de l'hôpital. Bébé... Kimi. *Par délicatesse, on ne nous a pas attribué une chambre à l'étage feutré des nouveau-nés. Nouveau-nés...* Kimi. *Toutes les meurtrissures de mon corps qui s'extirpe des trente heures du travail de l'accouchement me rappellent. Accouchement...* Kimi. *Jonathan, allongé à ma droite sur le lit de camp sans couvertures, dort comme un bébé. Bébé...* Kimi.

6 h 29
L'aller-retour à la toilette se fait dans la conscience aiguë de tous les gestes posés, par respect envers mon corps rompu qui m'a si bien répondu dans l'effort-sacrifice de la veille... et de l'avant-veille. L'infirmière qui termine son quart de nuit passe prendre mes signes vitaux. Vivre. Survivre... Kimi. *Je me recouche avec la ferme intention de dormir encore, puisque j'ai cumulé moins d'une huitaine d'heures de sommeil en deux jours. Alors que d'autres dorment pour toujours. Toujours...* Kimi.

Dans mon application à déposer mon dos sur le matelas avec la douceur d'un premier pas sur la Lune, j'oublie d'attraper dans le même geste les couvertures ratatinées au pied du lit. Je forme l'intention de tirer les draps sur moi. Je pourrais m'appuyer sur le coude gauche et me soulever. Mais je pourrais aussi appeler ma mère. Un interurbain. À défaut d'utiliser le télé-phone de la chambre, il faudrait prendre le cellulaire de Jonathan. Je n'ai pas le code pour le déverrouiller. De toute façon, je devrais m'assoupir. Soupir. Dernier soupir… Kimi. Je forme l'intention de tirer les draps sur moi. Je pourrais reculer les deux coudes pour me soulever. Je pourrais, pour appeler ma mère, prendre dans mon pochon mon propre cellulaire, rangé avec tous les documents de ma grossesse. Grossesse… Kimi. Mais à quoi je pense? Je n'ai pas l'autorisation d'uti-liser de cellulaire dans l'hôpital. De toute façon, je devrais m'assoupir. Soupir. Je forme l'intention de tirer les draps sur moi. Je pourrais laisser tomber la jambe gauche hors du lit pour me donner le balan de départ. Je pourrais aller téléphoner à ma mère à l'ex-térieur. Le soleil semble percer les nuages des rideaux après quatre jours de tristesse grise. Tristesse… Kimi. Je regarde mes pieds, gonflés par des dizaines d'heures à boire le soluté par les veines, ronds comme des pieds de bébé. Bébé… Kimi. Il est clair que je ne peux porter mes souliers pour quitter la chambre. De toute façon, je devrais m'assoupir. Soupir. Je forme l'intention de tirer les draps sur moi. Je pourrais les pincer avec les gros orteils. Je pourrais appeler ma mère à frais virés. Et si je n'ai pas la force de formuler mon nom lorsque la voix mécanique le demandera, je pourrais l'épeler : K-I-M-I. Kimi. À cette heure, mon appel réveillerait sûrement ma mère, mais ça ne la dérangerait proba-blement pas, parce qu'elle est ma mère. Mère, comme moi maintenant. Mère… Kimi. Parler dans la pièce réveillerait aussi Jonathan, qui a besoin de récupérer. De toute façon, je devrais m'assoupir. Soupir. Je forme l'intention de tirer les draps sur moi… Manifestement, en vain. Mon esprit s'est pris dans un cyclone. Que reste-t-il de moi ? De Kimi ? Kimi. Je regarde l'heure…

7 h 04
Voilà trente-cinq minutes que je suis paralysée dans ma tête, incapable de décision. Panique. Je m'étais dit que pour traverser cette première journée sans Kimi… Oh, mon Dieu ! Je réalise que pour la première fois depuis deux cent cinquante-deux jours, Kimi n'est pas près de moi. Je réalise que pour la première fois depuis deux cent cinquante-deux jours, le petit corps de Kimi est froid, quelque part. Pensée casse-gueule. Je pleure silencieusement dans le vacarme de chaque larme qui s'écrase sur le piqué près de mes oreilles.

L'arrivée de l'infirmière me distrait. Me rappelle le besoin impératif de guérir corps et esprit. Je forme l'intention de tirer les draps sur moi. Je prends appui sur le coude droit, pour puiser ma force d'un regard à Jonathan, endormi (« C'est toi mon avenir », que je lui répétais la veille), et pour me saisir enfin des couvertures. C'est le jour 1 d'une longue reconstruction.

8 h 17
Sans mes lunettes, ma myopie pourrait me faire croire que le visage de l'infirmière qui s'incruste dans ma semi-conscience fait toujours partie d'une réalité onirique, mais elle parle trop vite, trop fort, pour que ce soit le cas. Elle se présente et passe en revue sur un ton de par cœur ma situation médicale, me mitraillant de

questions qui ont perdu leur fil d'Ariane. Est-ce que je veux un déjeuner ? Est-ce que je désire qu'elle vérifie mes points de suture ? M'a-t-on donné des Tylenol contre la douleur, des comprimés pour tuer la lactation, du gel pour mon périnée éprouvé, des émollients pour la même raison, mon vaccin contre la rubéole ? By the way, *demande-t-on une autopsie sur le corps du bébé ? Dans sa course de petite abeille ouvrière, l'infirmière s'enquiert si j'ai des hémorroïdes, si je suis certaine de ne pas en avoir, si j'en ai déjà vu dans ma vie, si je veux qu'elle vérifie... Je suis au-delà de ces considérations et mon regard irrité l'incite à quitter la pièce : j'ai le cœur qui saigne bien plus que le péteux, mais il semble que le sujet de mes supposées varices anales soit plus aisé à aborder que celui du deuil périnatal !*

Je me sens bousculée dans ma léthargie, écartelée dans la réalité comme lorsque les escaliers roulants ne vont pas à la même vitesse que la rampe sur laquelle on prend appui. Je comprends que la journée n'aura rien de celle d'hier, le cocon de la salle d'accouchement n'étant plus.

8 h 31
La petite chambre bleue se métamorphose en quartier général. La porte ne cesse de s'ouvrir et de se refermer sur les différents intervenants : l'anesthésiste vérifie ma mobilité, l'obstétricien s'assure que Jonathan pourra obtenir un congé, une infirmière vient faire les prises de sang pour mesurer mon taux de fer, une préposée se charge du ménage de la chambre, une autre dépose mon plateau de déjeuner... À travers ce feu roulant, l'infirmière en chef, qui bouge trop pour la vitesse de ma focale, valide et coordonne, toujours aussi agréable

qu'un chihuahua planté dans le mollet, mais avec une efficacité qu'il faut lui reconnaître.

Une efficacité que, en revanche, je ne me reconnais décidément pas. Jonathan a quitté momentanément la pièce pour aller apposer sa signature sur des documents à la réception. Confrontée au contenu de mon déjeuner, je ne sais que faire des différents éléments. Je rassemble dans un coin du plateau ce que je veux partager avec Jonathan, puis les récipients vides recyclables dans un autre espace. Je tente d'empiler la vaisselle sale, mais le couvercle de l'assiette ne trouve pas son équilibre. J'aplatis le berlingot, déplace la tasse, fais des boulettes avec les papiers, mais je reste encore avec le couvercle dans la main. J'emprunte le bol pour recueillir le recyclable, le verre à eau pour le consommable, l'assiette pour le jetable, je retourne le couvercle pour y mettre l'assiette, le verre, le bol. Rien n'y fait. Rien ne tient. Je fais face au casse-tête de ma vie, avec l'impression qu'il y a trop de morceaux, aucune harmonie, et que je reste prise avec une pièce du puzzle dont je ne veux pas. Comme cette mortinaissance. Électrisée par cette pensée, je m'apprête à balancer sur le mur opposé l'horrible couvercle. Jonathan entre dans la chambre sur ces entrefaites, m'attrape les mains avant que, de douleur, je ne me déchire la peau des bras avec les ongles. Je ne veux pas vivre ce que j'ai à vivre. Je ne veux pas de cette vie-là. Jonathan accroche de force mon regard, m'oblige à le considérer dans la réalité de ma souffrance, que je me rappelle que l'on partage. Je me calme.

On s'installe côte à côte sur le lit pour finir de déjeuner, avec des gestes lents. On échange les confidences, mais nos sens en état de choc nous trahissent, ne nous faisant pas toujours exprimer ce que l'on croit

dire, nous renvoyant une image de nous-mêmes dimi-
nués. On se permet de rire de nos esprits gourds, de se
réajuster l'un à l'autre, de se réapprivoiser à deux alors
que l'on voulait si fort être trois.

10 h 03
On nous autorise à utiliser le cellulaire pour prendre
tous les arrangements nécessaires. La documentation
s'accumule : formulaire pour les congés, prescriptions
médicales, brochures pour parents orphelins, cartes d'hô-
pital, autorisations d'enquête génétique, validation des
étiquettes de prélèvements, instructions de disposition
du corps de l'enfant...
    À travers la paperasse que je lis, signe, commente,
questionne, apparaît sur mon lit une jolie pochette
de dentelle blanche : les effets personnels de Kimi.
J'arrête le temps pour l'ouvrir et en faire l'inven-
taire. J'y retrouve son petit pyjama à pattes courtes
qui allait parfaitement à ses six livres de prématuré,
avec la douce inscription « Pas peur du noir », qui prend
dans les circonstances une tout autre valeur ; ses petites
mitaines pour protéger sa peau mince et fragile comme
celle qui coiffe le lait chaud ; son bracelet d'hôpital ; son
minuscule bonnet bleu ; sa couverture jaune soleil et...
Je découvre dans un petit sachet un drôle d'objet que
je vois pour la première fois, une sorte de pince... Y
notant de discrètes traces rougeâtres, je réalise avec une
violente émotion qu'il s'agit de la pince qui a clampé
le cordon ombilical. Pensée casse-gueule. C'est comme
si je marchais sur la passerelle de verre au-dessus du
Grand Canyon et que je réalisais trop tard qu'une dalle
manquait. Je ne pleure pas mon ventre vide, mais le
fait que mes bras de géante le soient impitoyablement.

Je revois Jonathan, la veille, qui acceptait dans un geste hautement symbolique de couper le cordon. Dans le cercle de lumière de la lampe médicale, sa posture demeurait digne et calme alors qu'il posait pour la première fois son regard sur notre enfant à la poitrine immobile. En même temps que le petit coup de ciseaux résonnait dans la pénombre, j'avais lu sur ses lèvres les mots que j'étais la seule à comprendre, ces mots qu'on se répétait tel un leitmotiv depuis que l'on craignait et savait tout à la fois : « Laisser partir… »

11 h 45

Je sors à peine de la première douche qui m'est permise en trois jours et tombe nez à nez avec la généticienne, venue partager ses impressions à la suite de l'examen du petit corps de Kimi. On apprend non sans soulagement que ses observations confirment ses hypothèses. Parmi ses descriptions, l'une nous parle davantage : un petit pied droit de travers. Subtil détail, c'est l'indice qui certifie hors de tout doute l'existence d'une déficience neurologique importante. Sans rien ôter à notre tristesse, le départ de notre bébé prend une allure de délivrance, puisqu'il devient manifeste que Kimi aurait été prisonnier de son corps.

La généticienne aborde ensuite ce qu'implique pour nous le portrait génétique révélé. Deux scénarios sont à prévoir : l'analyse de nos caryotypes devrait préciser si Jonathan ou moi sommes prédisposés à une déviance génique ou s'il s'agit d'un pur accident. Dans les deux cas, rien ne laisse à penser que le rêve d'une famille s'est éteint avec Kimi. Tout au contraire.

Je sens Jonathan qui respire. Je risque un regard sur le soleil, dehors.

13 heures

*Les derniers résultats médicaux connus et leur bata-
clan de prescriptions en poche, on obtient notre congé de
l'hôpital. Je refuse un fauteuil roulant – réapprendre
à vivre se fait un pas à la fois. Alors que je franchis le
seuil de la chambre bleue, j'intercepte le regard de Jonathan, immobile, qui fait le tour de la pièce des yeux.
Je sais qu'il n'est pas en train de vérifier si on oublie
un truc. On n'est que trop conscients de ce qu'on laisse
dans cette chambre : un regard, un toucher, des sensa-
tions qui ne seront plus jamais.*

*L'ascenseur nous porte ailleurs et le poids de nos pen-
sées nous fait prendre appui sur la paroi le temps d'accéder au rez-de-chaussée. Au-dessus des valises, Jonathan me tend son bras que j'attrape comme un pont
jusqu'à mon cœur. Lorsque les portes s'ouvrent, la dame
qui venait de croiser notre espace-temps durant ce court
trajet entre les étages nous dit simplement : « Bon courage. » Dans des circonstances où tous cherchent quoi
dire, ces mots me semblent les meilleurs à offrir.*

*Dehors, le soleil est éclatant, à la fois rasérénant et
cruel pour des yeux qui ont connu tant de pluie. Chaque
pas accélère ma respiration, chaque pas fait résonner la
douleur de mon bas-ventre. Je sais maintenant anticiper comme des contractions les vagues de souffrance
qui annoncent une dérape de mon cœur. Pensée casse-
gueule : chaque pas m'éloigne de mon enfant qui repose,
et pourtant je marche. Absurdement contre-nature.
Jonathan prend de l'avance sur mon pas hésitant. Je
cherche partout le déclencheur d'une pensée salvatrice
pour contrer l'angoisse qui me contamine graduelle-
ment l'esprit. Sur la façade de l'hôpital, je réussis à
repérer les trois fenêtres de la salle d'accouchement, là*

où nous avons eu le bonheur ineffable d'accueillir notre bébé quelques heures contre nous et d'en apprécier sereinement toute la singularité, le cœur ouvert comme nos bras. La vague passe. Je ne me suis pas arrêtée de marcher. En me retournant, je vois que Jonathan m'attend, tenant ouverte la portière de notre voiture sans siège d'enfant. Je me dis que mon Avenir n'est qu'à quelques pas devant.

Marilou Bourassa

CHAPITRE I

LE QUÊTEUX ET LA COLÈRE

La rue Saint-Denis était vivante. Les soirées chaudes du printemps faisaient sortir les Montréalais comme des mannes. Dans l'effervescence, elle devait sembler aussi légère que tous ces gens venus prendre un café, descendre une bière ou butiner les boutiques. Pourtant, ses pensées étaient de plomb. Plongée dans la normalité des autres, elle avait oublié quelques instants que, depuis une semaine, sa vie était hors-norme. Quelques minutes plus tôt, lorsqu'une vendeuse bien intentionnée, la voyant hésiter devant une robe, lui avait demandé quel était l'événement, Chloé avait répondu sur un ton détaché : « Les funérailles de mon bébé. » La vendeuse en avait perdu le souffle, s'était agrippée au présentoir. Du coup, Chloé était sortie de sa torpeur, s'était excusée maladroitement et avait quitté précipitamment le magasin. Sa douleur lui étant devenue familière, elle perdait parfois de vue l'impropriété de ce qu'elle vivait. De toute façon, elle avait si mal qu'elle ne voyait pas la nécessité d'épargner les autres en s'imposant des délicatesses dont elle n'avait pas la force.

Cela dit, ses pensées ne l'amenaient pas toujours sur des versants aussi douloureux. Dans certaines situations, elle se surprenait à poser les gestes de la vie quotidienne, à sourire à une caissière en disant aimablement « Merci. Bonne journée », comme si elle était une autre qui aurait la chance de vivre une autre réalité. Une partie de son corps et de son esprit continuait d'agir ordinairement en société, et elle pouvait dans ces occasions s'abandonner au réflexe pour laisser son cœur torturé jouir du répit.

Tristement, alors qu'elle adaptait son pas au flot des piétons, elle n'en était pas là, prise dans une pensée maelström, totalement lucide quant à ce qu'elle avait à vivre. La douleur était vive. Elle jetait des regards incrédules sur les gens qui partageaient sa direction (et seulement ça) en se disant : « Les funérailles de mon bébé samedi… Ils ne savent pas ! Je peux assassiner d'une phrase l'insouciance de tous ces gens. » La conscience aiguë de la mort de son bébé l'accaparait comme celle de la vie nouvelle chez la femme qui porte encore le secret de la grossesse qui s'amorce. L'idée était une vrille qui la blessait toujours plus profondément.

Le regard de Chloé croisa celui d'un quêteux. Son verre de plastique à la main, debout sur les premières marches d'un escalier, il semblait n'attendre que ce contact pour se confirmer qu'il existait et se conforter. Il claironna :

— Vous êtes trop songeuse, mademoiselle, trop songeuse. C'est pas bon pour la santé !

Chloé fut piquée au vif. Elle revint en arrière de deux pas et se planta devant l'itinérant.

— Mais qu'est-ce que vous en savez, de ma vie, pour croire que je n'ai pas une bonne raison d'être soucieuse ?

— Bonne ou mauvaise raison, c'est pas bon !

— Croyez-vous vraiment qu'un gars qui vit sur le trottoir et qu'on sent depuis le dernier coin de rue peut me donner des conseils santé ?

— Pourquoi pas ? Moi, mademoiselle, je suis un observateur du monde…

— J'vais vous dire ce que vous êtes : un déconnecté de la société qui s'imagine que son malheur est le plus grand qui soit !

— J'vois effectivement pas c'qu'y a de pire que la misère noire.

— Évidemment ! Vous ne suivez pas d'autres actualités que la météo et la température de vos pieds, vous ne parlez pas aux gens sauf pour leur soutirer des trente-sous, vous cultivez votre malheur comme vos poux.

— J'vois pas qui ça dérange…

— Moi, ça me dérange ! Me voyez-vous bien ? Moi ! répéta-t-elle en tanguant de gauche à droite sous le nez du sans-abri pour remplir son champ de vision. Ça m'énerve de voir un type de votre espèce apostropher les payeurs d'impôts pour leur dire ce qu'ils devraient faire quand lui reste assis à tendre la main, à profiter des services publics et à vomir des conseils dont on a besoin autant que de la peste !

— Ben y a pas à dire, vous, vous en avez sur le cœur…

— Et puis, je n'ai pas fini ! Je pense qu'il est crissement temps que quelqu'un vous dise :

«MÊLEZ-VOUS DE VOS AFFAIRES!» Vous allez être la première personne à en profiter.

— C'est ça, ben oui…

L'agressivité soudaine de Chloé n'avait pas l'air d'atteindre le quêteux, qui avait choisi de réagir à l'assaut en mimant l'indifférence, un poison auquel il goûtait quotidiennement. Mais Chloé venait de trouver un exutoire original à son mal et n'entendait pas fermer les vannes aussi vite.

— Regardez quelle attitude vous prenez : vous n'êtes pas seulement déconnecté du monde, vous êtes déconnecté de vous-même !

L'itinérant tiqua. Il s'était rapproché de Chloé et tendait maintenant le doigt vers la lanière en cuir de la fermeture éclair de son manteau, plissant les yeux pour tenter d'y déchiffrer quelque chose. Elle dressa vivement l'avant-bras dans un geste de défense qui envoya valser mollement le bras du vieil homme dans un mouvement de moulinet.

— C'est chic, comme manteau… Rien de trop beau pour les travailleurs, siffla le quêteux.

— Si ça vous fait envie, vous savez ce qu'il vous reste à faire !

— Non, pas trop envie de me cacher comme vous le faites.

— C'est si facile de dire n'importe quoi…

— Autant que de se faire passer pour quelqu'un d'autre, répliqua-t-il. Un beau manteau d'même sur les épaules, ça donne toujours l'air moins fou qu'on est.

Chloé eut un rire désillusionné.

— S'il y a une chose dont je suis certaine – et croyez-moi, je n'ai plus beaucoup de certitudes aujourd'hui –, c'est que je ne suis pas folle. C'est d'ailleurs décevant qu'en dépit de votre vécu, qui vaut ce qu'il vaut, votre meilleure réplique soit de traiter les autres de fous. Entre vous et moi, les préjugés sont bien plus contre vous…

L'homme eut un sourire entendu. Parler de la folie le mettait étonnamment à l'aise. Qui plus est, l'agression de cette femme qui s'attaquait à sa condition n'en demeurait pas moins une sorte d'ouverture qui lui était, pour une fois, personnellement destinée.

— C'est sûr. Et une petite femme bien habillée qui s'en prend à un vieux sans-abri, vous croyez que c'est vu comment dans la société ? Ça a pas l'air fou, ça ?

— Vous m'avez agressée !

Le mot était si fort que le quêteux prit le parti d'en rire.

— Woh, princesse ! Un chien qui mord, c'est bon pour la fourrière.

Chloé ne s'adoucit pas d'un poil.

— J'ai tout mon temps, je pense, la Ville n'a pas l'air de se préoccuper des chiens errants.

Le sans-abri secoua lentement la tête, semblant désapprouver l'attitude de Chloé.

— Donnez-vous donc un *break*. Vous êtes un vrai danger public, crinquée d'même. Vous allez encore sauter au visage du prochain qui vous regardera de travers…

— La bonne idée ! ironisa Chloé. J'vais m'asseoir à côté de vous, tiens… À ce qu'y semble, y a pas plus zen que de rester assis pendant quatre heures la main tendue.

Le vieux ne se démonta pas.

— Non. Payez-moi un *snack* quelque part et j'vas vous…

— C'est ridicule. Je n'y gagne absolument rien, vous allez me faire perdre mon temps.

— Vous disiez le contraire il y a deux secondes, observa-t-il.

Chloé sortait déjà son portefeuille pour faire tinter sa monnaie dans le verre en plastique du quêteux, mais ce dernier cacha le récipient derrière son dos, se refusant à cette charité.

— Mademoiselle, quand on s'arrête pour parler à un gars de la rue comme moi, on a du temps à perdre. Je vous demande pas d'argent.

Il marqua une pause, conscient qu'il venait surtout de marquer un point qui déstabilisait subtilement son interlocutrice. Il articula lentement, presque paternellement :

— Payez-moi un café, vous allez voir que je peux vous changer le mal de place.

Devant ce geste égoïste, mais en apparence plein de compassion, les larmes montèrent aux yeux de Chloé malgré elle : après ces quelques minutes de distraction, les derniers événements de sa vie refaisaient surface. Elle se maudit de son hypersensibilité, d'exposer sa vulnérabilité dans la rue à un inconnu.

— C'est n'importe quoi. Je n'ai aucune raison de vous faire confiance. En fait, je ne vois surtout pas comment, *vous*, vous pourriez m'aider…

À sa sortie de l'hôpital, Chloé s'était vu proposer un nombre impressionnant de ressources pour supporter ses premiers pas dans sa nouvelle réalité de parent endeuillé : psychothérapie, réseaux d'entraide sur le Web, soirées de partage, lignes d'écoute, suivi hebdomadaire par une infirmière spécialisée... Elle avait refusé toutes ces béquilles, qui n'en demeuraient pas moins officielles et professionnelles. Comment un démuni de la rue pouvait-il escompter faire mieux ? Pourtant, celui-ci insista à nouveau :

— Avouez que vous avez ben moins peur de moi que d'vous-même ! Et vous trouverez pas plus honnête comme offre : vous me payez le lunch et je vous change les idées.

Chloé soupira, regarda sa montre. Elle venait déjà de livrer bataille avec la vie. Elle n'avait plus à présent que le désir de se laisser porter. Prendre un repas avec un sans-logis, c'est une idée qui lui effleurait l'esprit autant que vouloir mettre le doigt dans un ventilateur au meilleur de sa forme ! Mais que pouvait lui imposer la vie de pire que la mort d'un enfant ? Chloé n'avait plus la notion du danger, n'éprouvait plus la peur. Sauf celle d'inquiéter, de décevoir, de blesser, de perdre Antoni, son dernier repère... Sa séance de magasinage ayant avorté, elle avait encore une heure devant elle. Elle prit la décision d'inviter le sans-abri à la terrasse où elle avait rendez-vous avec Antoni.

Sur la carte de la Brûlerie Saint-Denis, elle choisit un café aromatisé à la cannelle pour se tapisser les narines de l'odeur piquante de l'épice, pour établir une frontière olfactive avec...

— Comment vous vous appelez ?

— Joa, Cancer ascendant Poissons.

Elle hésita, puis tendit la main au-dessus de la table.

— Chloé, directrice pédagogique.

Dans la lumière électrique qui filtrait à travers les grandes vitrines, Chloé pouvait détailler à loisir les traits de son interlocuteur. Joa avait une barbe en soleil et un regard de ciel, des cheveux de la couleur du bien et du mal, propres à la cinquantaine, mais pas propres du tout, nota-t-elle, non fâchée de les voir couverts d'une casquette. « Pour une fois que garder son couvre-chef en présence d'une femme est un signe de politesse… », songea-t-elle.

Pendant que Joa mangeait le menu des yeux, Chloé chercha à tout hasard un visage familier parmi les clients du café. Comment réagirait une personne de sa connaissance en la surprenant avec un tel invité ? Que dirait Antoni en voyant qu'elle n'était pas seule ? Sa décision lui sembla soudain téméraire : elle ignorait tout de l'homme assis en face d'elle et, surtout, ce qu'elle retirerait de cette hardiesse. Son attention revint à Joa en même temps que la serveuse prenait leur commande.

— Vous avez un budget de 20 dollars, Joa, taxes et pourboire inclus, tint à préciser Chloé, qui retrouvait certains mécanismes de protection.

Le vieil homme grimaça, ne cachant pas sa déception, et choisit deux plats au hasard. Reportant ses yeux sur Chloé, il attaqua :

— Alors, qu'est-ce qui *spinne* dans vot'tête ?

— Comment voulez-vous que je réponde à cette question ? Vous vous y prenez mal pour me tirer les vers du nez ! rétorqua Chloé, qui n'était plus certaine de vouloir s'ouvrir à l'inconnu.

— Bon. D'abord, j'vais vous éplucher comme une banane plutôt que de vous…

— Joa, nous avons moins d'une heure : si vous vouliez de la compagnie pour vous farcir le ventre d'un repas gratis, c'est gagné, mais si vous aviez des intentions humanitaires, c'est mal parti.

— En fait, vous me confirmez ce que je voulais savoir. Vous êtes une battante. J'ai pas besoin que vous me disiez tout pour vous lire… À votre droiture, on sent la fille à responsabilités ; à votre impatience, on sait que vous courez tout l'temps ; à votre ton… ben y a juste de la colère. Vous êtes habituée à tout contrôler, et la vie vient de vous faire une saloperie que vous digérez pas.

— On peut dire ça, oui, admit Chloé.

— Alors…, l'encouragea-t-il.

La jeune femme se leva, retira son manteau, révélant à Joa la rondeur de son ventre.

— Une grossesse que vous vouliez pas ?

— Mon bébé est décédé il y a huit jours, lâcha Chloé, et les funérailles sont après-demain.

Devant le silence de Joa, elle poursuivit :

— C'était un petit garçon attendu pour le 1er juin.

— Vous avez d'autres enfants ?

Chloé fit signe que non.

— Accident ou platitude d'la nature ?

— Problème génétique.

— Pourquoi vous êtes en colère ?

Chloé soupira. La question l'embêtait.

— Vous devriez faire confiance à la vie, ajouta Joa.

— Dans un sens, oui. Ce n'est pas le premier coup dur que je subis ; en soi, ça devrait être suffisant pour m'aider à trouver un sens à mon malheur, savoir que je vais m'en sortir. C'est juste que… je ne m'attendais tellement pas à perdre cet enfant. C'était si improbable : tout était fait pour ce petit bébé. Comment voulez-vous que je ne sois pas fâchée ? La vie me prend mon premier-né !

Chloé exprimait pour la première fois à voix haute son incompréhension. Elle avait le sentiment que, face à cet homme endurci, elle avait tous les droits de tenir des propos crus, d'être dure comme il l'était.

— Le sort aurait pu frapper une femme plus jeune, continua-t-elle, une famille plus nombreuse, je ne sais pas ! Je n'ose souhaiter ça à personne, mais j'en connais tant et tant qui ont deux ou trois bouts de chou et dont le plus grand sujet d'inquiétude est la couleur ou l'heure de leur défécation !

— Vous savez, c'est pas dit que ces gens-là perdront pas un enfant. Je lis pas toujours les journaux, mais je me souviens de ces histoires de noyades, de disparitions, de conducteurs incompétents, d'abus, nommez-en ! Votre enfant, y vous appartenait pas ; pensez plutôt qu'y vous avait été prêté par la vie et qu'elle pouvait le reprendre sans prévenir.

— Pour l'instant, ce que je perçois, c'est que ce n'était pas seulement le cœur que je m'étais préparé pour recevoir cet enfant, c'est dans ma vie entière que je lui avais taillé une place. Il ne connaissait pas sa chance…

— Vous lui aviez fait une belle chambre, supposa Joa en insistant sur le mot « belle ».

— Évidemment. La maison était accueillante, avec tout ce qu'on peut espérer à proximité de loisirs, d'équipements culturels et sportifs, énuméra Chloé, encore émue à cette pensée.

— Un beau quartier, à part de ça! ajouta Joa avec une touche de moquerie que ne perçut pas Chloé. Pas donné à tout le monde d'avoir les moyens d'en profiter, en plus.

— Vous imaginez, hein? J'étais contente d'avoir fait assez d'études pour offrir une sécurité financière à mon enfant, et j'avais lu tellement de bouquins pour être à la hauteur de la maternité. Vous saviez que le facteur le plus déterminant dans la qualité de l'éducation donnée à son enfant est la scolarité de la mère?

Joa laissa passer la question comme une fausse balle.

— Le petit aussi aurait fait de belles études…

Cette fois, son ton méprisant n'échappa pas à Chloé.

— J'y avais pensé, oui, concéda-t-elle, prudente.

Elle ne comprenait pas ce que le quêteux avait derrière la tête et persista:

— Je ne vois pas où est le mal, si les parents jouissent d'une belle situation.

— Bien sûr, l'instruction est un cadeau incroyable à faire à un enfant. Comment le vôtre a-t-il pu rater la chance i-nou-ïe de rester dans votre famille?

— C'est exactement ce que je me dis. Quand j'entends parler de ces femmes qui vivent aux crochets de la société et qui tombent enceintes en changeant de petite culotte… Comprenez que j'aie une dent contre la vie! Il avait tout pour lui, notre bébé!

Chloé s'interrompit, surprenant un rire dans le regard du quêteux qui enfournait disgracieusement sa dernière bouchée de salade.

— Quoi ? Pourquoi vous rigolez ?

— Vous trouvez la vie injuste, mais mettez-vous à ma place : ça fait du bien, des fois, de savoir que les riches enragent contre elle comme les guenilloux. C'est pas moi qui vais vous obstiner sur le fait que la vie est une salope. Mais on peut pas dire que vous êtes plus juste qu'elle. Vous parlez comme si vous croyiez que vous méritiez ce bébé.

— Eh bien, oui ! Je n'ai rien volé de ce que je possède. Je fais du bénévolat auprès des handicapés et des dons de sang quand ma santé me le permet, je redonne à la société en œuvrant dans le milieu de l'éducation, j'ai payé jusqu'à présent plus d'un quart de million en impôts, je fais mon recyclage et j'achète bio, j'envoie des cartes de Noël, je ne tue pas les araignées… Qu'est-ce que je peux faire de mieux ? Il me semble que j'étais en droit d'espérer une petite ristourne de la vie, non ?

— Eh ben, non, mademoiselle, la vie tient pas de comptes. Y paraît que ça se passe au ciel, c't'affaire-là. Remarquez, vous avez quand même été chanceuse jusqu'à date : à c'qui semble, vous avez l'amour, la santé, j'avoue un brin d'beauté, assez de jugeote pour faire des études, une job stable pis payante. Y sont là aussi, vos cadeaux d'la vie.

— C'est sûr que, de votre point de vue, j'ai l'air gâtée par la vie… Mais vous, Joa, qu'est-ce qui vous a mené à la rue ? Vous avez joué le chèque pour votre loyer à la Dame de pique ? Vos parents vous ont renié à cinq ans ? Vous avez des relents de maladie mentale ?

— J'me doutais que vous recommenceriez à casser du sucre sur mon dos pour passer votre rage, mais ça valait bien une tarte aux pommes, fit Joa en posant sa fourchette.

Le sans-abri sembla tout à coup devenir une tout autre personne lorsqu'il dit, comme plagiant les mots d'autrui :

— Je suis un libre penseur, un rêveur équitable. J'ai choisi la liberté, j'veux rien savoir de la société de consommation.

Chloé ne retint pas son éclat de rire. Cette fois, c'est le vieil homme qui sembla piqué.

— Bien sûr, bien sûr… J'imagine que c'est réconfortant pour vous de le penser, comme moi qui croyais que la vie me devait l'offrande d'un bébé.

Elle avait prononcé cette phrase moins pour Joa que pour elle-même, comme une prise de conscience. Bien que l'homme soit un reclus de la société et qu'elle ait travaillé d'arrache-pied pour s'y tailler une place au soleil, il devenait évident qu'ils avaient plus en commun que ne le laissaient penser les apparences, humanisés qu'ils étaient par la souffrance. Lorsqu'elle leva les yeux, elle fut surprise de la dureté du regard de l'itinérant.

— Y faut pas parler de corde dans la maison d'un pendu, lui lança-t-il, ce qui eut pour effet de la choquer.

— Oh, à une autre, s'il vous plaît ! Regardez les faits en face : nous sommes tous les deux en beau fusil contre la vie, et avec raison. Je ne sais pas quel aléa vous a conduit à la rue, mais ne justifiez pas votre condition avec des principes plus grands que vous !

— Et pourquoi ça pourrait pas être ça ?

— Franchement, si vous rejetiez réellement la société de consommation, ce n'est pas sur la rue Saint-Denis qu'on se serait rencontrés ! Vous choisissez le quartier montréalais dans lequel on trouve le plus de boutiques spécialisées en futilités, vous dépendez des dons de ces gens qui travaillent pour se payer une télé plasma ou, pire, qui ont gagné leur argent en en vendant, et vous mettez vite de côté vos belles maximes quand vous avez besoin de faire un détour à l'urgence, visite médicale que vous ne pourriez vous permettre si cette merde de société n'avait pas le levier économique et l'éthique sociale de vous venir en aide.

— Vous avez le jugement tellement facile, Chloé-directrice-chose. Y a personne qui est à l'abri de se faire planter là par la vie. Vous pensez pas que j'en vois de tous les âges, des pauvres qui traînent leur *sleeping bag* dans les ruelles ? Y sont frustrés contre l'école, contre leur *boss* pis contre leur père, ces gens-là. À un moment donné, la vie te coince pis t'as juste plus l'choix. Que ce soit à cause de mes beaux principes ou d'une connerie que je me retrouve aujourd'hui dans la rue, c'est arrivé pis c'est tout.

— Minute. Depuis une semaine, j'ai croisé des gens qui ont voulu me réconforter en me disant que le destin ne nous confrontait qu'à des épreuves qu'on avait les ressources de surmonter. Quand tu crois ce genre d'idées, tu te ranges déjà dans le bataillon des soldats, pas des victimes. Et devinez dans quel camp je classe un quêteux…

— Votre logique, c'est une logique de riches. Vous oubliez que vous avez eu un toit, des céréales le matin, des bobettes propres tous les jours d'la semaine pis quelqu'un qui vous a appris à vivre en respectant votre personne. Pour vous, la course commence là pis le reste, c'est une affaire de vouloir.

— Voyez, l'attitude de la victime… Et, oui, c'est une question de volonté, et aussi de choix.

— Vraiment?

Alors que Chloé prenait une inspiration pour relancer sa plaidoirie, une fleur toute rouge de beauté s'interposa entre elle et Joa. Chloé leva les yeux pour voir un mime qui lui sourit si franchement que l'apparition lui sembla surréelle.

— Alors? Vous la lui achetez sa rose ou non? demanda Joa.

— Je fais déjà la charité, ça ne se voit pas?

— Mais il vous a émue avec sa fleur, ça vaut bien un encouragement.

— Joa, mon salon est plein de bouquets mortuaires. Quand je vois une fleur ces temps-ci, ce n'est pas sa beauté que je remarque d'abord, c'est ce qu'elle symbolise. Alors, non, cette fleur ne m'a pas émue.

Le mime simulait l'impatience, s'appuyant sur la table voisine en regardant une montre qu'il ne portait pas, s'ébrouant, faisant de la fleur une canne pour imiter le vieillard qu'il devenait à force d'attendre. Il faisait son spectacle, fort apprécié des tablées voisines. Chloé signifia au mime qu'elle n'achèterait pas la rose. Celui-ci théâtralisa sa peine, ce qui vint à bout de la résolution de Chloé.

— Non, pas de ça, par exemple ! J'aime mieux m'empêtrer d'une fleur de plus que de supporter une crise de larmes que je sais très bien faire moi-même, bougonna Chloé en tendant un billet.

Le mime, la remerciant d'un geste, fit quelques cabrioles enjouées et se dirigea vers les clients d'une autre terrasse.

— Vous devriez l'imiter, dit Chloé à l'intention du clochard.

Joa prit un air exagérément heureux qui inspirait plus la peur que le rire.

— Vous êtes bête ! Je veux parler de son initiative. Vous avez assez de bagou pour gagner votre vie de cette façon.

— Bébête vous-même. Cet homme est sourd et muet, madame Chloé, je vois pas comment je peux l'imiter avec mon… bagou.

— Je voulais vous donner un exemple d'une façon créative de gagner sa vie, de se prendre en main. Des solutions existent pour qui veut en trouver.

— Y a quand même pas dormi dos à dos avec une poubelle cette nuit, ce gars-là, ça aide, argumenta Joa.

— N'importe qui voulant s'en sortir peut trouver une panoplie d'organismes pour lui venir en aide.

— Vrai que c'est pas ça qui manque, mais prenez votre cas : est-ce que tous les docteurs savaient quoi vous dire après la mort de votre bébé ? Est-ce que de voir des psys, ça a enlevé votre douleur ? Est-ce que c'est un rendez-vous tous les mardis qui va vous faire comprendre pourquoi votre bébé pouvait pas rester avec vous ?

Chloé ne trouva rien à répondre. La discussion était revenue en boomerang sur son histoire. Elle frissonna, remit son manteau.

— Ben c'est la même affaire pour le monde dans la rue. C'est pas les *lologues* qui font que tu retrouves un sens à ta vie, assura Joa, pis y me semble ben que tout part de là.

— Vous n'avez pas tort sur ce point, c'est vrai que la structure et la qualité des services sociaux ne sont pas toujours parfaites. Mais ne croyez-vous pas que ce n'est pas non plus leur mandat, à ces organismes? Quel est le gars qui disait que la liberté la plus grande de toutes consistait à réformer sa propre existence[3]? Ce qui manque aux gens qui quêtent comme vous le faites, ce n'est pas des ressources externes, c'est une force intérieure, un peu d'orgueil.

— Ah…, fit Joa d'un air entendu, vous le dites comme si, vous, vous en manquiez pas.

— Qu'attendez-vous que je vous réponde, Joa? dit simplement Chloé après une pause. J'aimerais vous dire que non, je n'en manque pas, car pour mener à terme des études universitaires, passer quelques nuits blanches par année pour le boulot et se lever pour aller au bureau un lundi matin à 6 heures au retour des vacances de Noël par -25 °C, ça demande une certaine fierté du travail bien fait, d'un nom à honorer. Par contre, je vous mentirais si je ne vous avouais pas que… que je ne sais trop comment me revirer depuis une semaine.

---

3. Jean-Paul II.

— Ça fait une tache su' votre beau tableau blanc, hein ? suggéra Joa, sans le moindre signe d'attendrissement.

— Pardon ?

— Les malheurs, dans ma vie, c'est le quotidien. Un malheur, dans votre vie toute léchée, c'est la fin du monde.

— Vous me croyez faible, c'est ça ? Vous croyez que je me noie dans un verre d'eau ?

— Disons que j'ai la couenne plus dure. Moi, ça me dérange plus de m'enfarger : ma vie, c'est pas un chef-d'œuvre. Mais ceux qui pensent que la leur en est un – comme vous –, c'est ceux-là qui mangent le plus leurs bas. Y a rien de plus absurde qu'une vie parfaite. Ma fille, mets ça dans ta pipe pis fume !

— Je vais vous en faire, une pipe, moi ! s'emporta Chloé.

Elle avait parlé un peu fort et, autour d'eux, sur la terrasse, des têtes surprises se retournaient. Elle rougit.

Joa, l'œil moqueur, n'osa prendre la parole, de telle sorte que Chloé mesura encore plus combien les faux pas faisaient en effet partie intégrante du quotidien. Elle n'était toutefois pas prête à lui concéder si tôt le point et poursuivit :

— J'ai un trou dans le cœur de savoir que je ne peux pas réchauffer mon petit bébé où il se trouve, mais je ne veux pas devenir lyrante, ni m'abîmer dans la tristesse. Ça me répugnerait de devenir un sujet de conversation, de susciter la pitié. Je veux avoir une attitude qui va inspirer les gens, leur faire penser : « Elle, c'est une gagnante. »

— Oh là là…, fit Joa, dépassé par ce qu'il entendait.

— Je peux être cette fille, car j'ai l'assurance d'avoir juste assez de fierté pour ne pas me laisser décrépir par le malheur.

— Orgueil.

— Pardon ?

— Juste assez d'orgueil, pas de fierté.

— Oh ! Vous m'énervez avec votre idée fixe ! Vous ne savez même pas la différence entre les deux.

— Mademoiselle, j'ai peut-être pris à vos yeux la couleur brune de la rue, mais j'ai quand même fait des études, et chez les frères, on nous l'expliquait, la différence entre l'orgueil et la fierté. Commandez-nous des biscuits avec un truc à boire pis j'vas vous l'expliquer.

— Pas la peine…

Chloé plongea la main dans son sac, attrapa son téléphone, repéra un réseau sans fil et lança une recherche. Victorieuse, elle lut :

— La fierté est « la satisfaction légitime de soi » et l'orgueil – attention –, « un sentiment de fierté légitime ». Bref, c'est la même chose. Ce n'est pas beau, ça ?

Elle leva les yeux sur Joa pour apprécier son avantage mais se heurta à l'expression déçue de l'itinérant.

— Vous auriez voulu me le dire vous-même ? le taquina Chloé.

— Non. C'est juste que, pour avoir raison, vous lisez sûrement pas tout. Passez-moi votre téléphone.

— Pas question ! Juste à voir comment vous négligez votre personne, je ne prendrai pas le risque de vous prêter trois secondes ce téléphone.

— Soyez honnête, alors !

— OK, c'est vrai qu'on parle aussi d'une « estime excessive de sa propre valeur » pour définir l'orgueil, mais on dit aussi que… – attendez – que la fierté est « un sentiment d'orgueil ». Bref, on a tous les deux raison.

— Avoir raison a pas d'importance.

— Dans votre système de valeurs, sans doute. Mais dans le mien, il reste important que je rectifie un dernier point, pour la beauté et la justesse de la chose : je vous reprochais de manquer d'orgueil quand vous choisissez d'aborder la vie en vous écrasant à un coin de rue pour vous donner en spectacle sur le trottoir, mais ce qui constitue l'orgueil – et donc ce qui vous manque surtout –, c'est l'amour-propre et la dignité, acheva-t-elle sur un ton net.

— J'en ai tout de même assez pour tracer certaines limites. Parle à mes fesses, ma tête est malade.

Joa repoussa lentement sa chaise et se leva, replaçant sa casquette avec une certaine distinction. Chloé comprit qu'elle avait fini par blesser le vieil homme. À force de fanfaronnades et de pointes, elle avait percé son apparente indifférence. Elle s'en voulut. Elle eut la révélation qu'elle vivait mal sa souffrance : son malheur aurait dû être propice à établir une forme de communion avec d'autres âmes malmenées par la vie, comme elle sur le chemin de Damas, mais dans les faits elle se révélait coriace et cruelle, pareille à la fatalité. Comme Joa le lui avait dit.

— Attendez. J'ai été détestable, j'en conviens. Je n'aurais pas dû. Depuis le début de notre entretien, je vous aborde comme si votre vie était un échec et, manifestement, ça ne peut pas être ça… même si je crois que la vie fait des gagnants et des perdants. Vous voir ainsi résigné, statique vis-à-vis de votre situation, m'a donné l'impression que vous étiez un perdant alors que… qu'en ce moment c'est moi qui me perds.

— Je ne suis pas immobile, mademoiselle Chloé, je suis un itinérant, un nomade.

Elle sourit tristement, pointa la chaise qu'il avait replacée soigneusement.

— Restez. Je vais commander des biscuits et du thé.

— Juste à une condition.

— Dites.

— Si je reste, vous me laissez dire ce que j'ai à dire et vous ressortez pas votre appareil pour avoir raison sur des âneries.

— Ça, ça fait deux conditions, mais…

Voyant l'air du mendiant changer, Chloé précipita sa phrase :

— C'est d'accord.

Alors que Joa se réinstallait à la table, elle fit signe à la serveuse.

Ils se fixaient en silence. Probablement que tous les deux se demandaient pourquoi l'un et l'autre n'avaient pas profité de l'altercation pour détaler comme des lapins de garenne. D'un côté, Chloé prolongeait une rencontre qu'elle avait elle-même provoquée et dont elle se mordait les doigts une demi-heure plus tôt. De l'autre, le sans-abri se rasseyait à une table où il ne s'était pas fait respecter. Sans doute, dans ce regard embarrassé qu'ils échangeaient, la jeune femme et le vieil homme sondaient-ils l'abîme de leur propre âme, cherchant l'occasion d'une deuxième manche pour faire meilleure figure à leurs propres yeux.

— Vous êtes une personne sensée, Joa, mal embouchée, mais qui réfléchit bien, le complimenta Chloé. Vous disiez avoir étudié chez les frères ?

— Oui, madame, le cours classique.

— C'est tout à votre honneur. Je ne peux pas croire qu'une telle formation ne vous ait pas donné de belles occasions.

— Oh… J'en ai eu, des belles occasions. J'ai même enseigné la philo au Conservatoire de musique de Montréal.

— Joa ! fit Chloé, admirative. Mais que s'est-il passé ?

— Je suis devenu conseiller municipal, répondit-il, l'air de s'excuser, ce qui fit sourire la jeune femme.

— Sincèrement…

— Y a rien d'autre à dire.

Chloé n'insista pas et enchaîna :

— Je devrais vous faire davantage confiance. En fait, vous êtes probablement plus aguerri que moi pour affronter l'adversité.

— Y a quand même dû me manquer pas mal de « force intérieure » pour que je me retrouve obligé de laisser une petite femme payer l'addition.

La serveuse déposa au centre de la table toute la quincaillerie pour faire le thé et une assiette de quatre gros biscuits au gingembre. Chloé vit Joa tirer l'assiette vers lui, glisser deux galettes dans sa poche et prendre les autres dans chaque main, reniant du coup toute la galanterie de sa dernière phrase. « Il doit voir un peu cette nourriture comme son salaire », philosopha-t-elle. Par ailleurs, elle avait si peu faim qu'elle ne prit pas ombrage de l'attitude sans-gêne de Joa et s'appliqua à servir le thé. Son naturel revenant au galop, elle ne put s'empêcher de dire :

— Ajoutez donc du lait à votre thé, ça aidera à faire passer les biscuits…

Joa releva la pointe :

— C'est pas demain que vous allez arrêter d'être fâchée, vous, surtout que vous aviez déjà une avance sur tout l'monde. Perdre un enfant, je connais rien de plus *rough*, pis rien de plus long à soigner, comme bobo de l'âme. Fait que si c'est pour prendre ben du temps, autant vous rendre compte de suite que votre méthode, c'est pas la bonne.

— Je sais, il va falloir que je décolère et que j'accepte les faits.

— Moi, si j'étais vous, je me casserais pas l'bicycle à accepter l'idée que mon bébé est mort. Parce qu'y a quelque chose dans ce mot-là qui veut dire que vous restez immobile. J'essaierais de… de m'adapter ; ça vous forcerait à vous bouger le cul et le mental.

— Qu'est-ce que vous voulez dire, Joa ?

— Vous étiez fière de tout c'qu'y était, c't'enfant-là, non ?

— Une mère ne mesure pas son amour pour l'enfant qu'elle attend.

— Je vous parle de fierté, pas d'amour.

— Si j'étais fière ?

Chloé plongea en son for intérieur.

— Vous n'avez pas idée, dit-elle, son visage s'éclairant tout à coup. J'aimais l'année de sa naissance, la saison, mon âge, le *timing* dans ma vie professionnelle, le fait d'attendre un fils – je sais, tous les parents disent que le sexe du bébé n'a pas d'importance, qu'ils ne veulent qu'un bébé en santé, mais ça, c'est juste la réponse politiquement correcte quand personne n'a le choix ! Et j'aimais tellement son prénom… Ça va me manquer toute ma vie de ne pas l'écrire sur les étiquettes de ses chandails, sur ses crayons d'école, sur des formulaires d'inscription, sur… Je ne l'ai pas assez écrit…

Joa observait Chloé qui traçait de son doigt les mêmes lettres sur le vernis de la table, le regard tourmenté. Ses ongles marquaient de manière indélébile la surface de bois comme pour s'approprier ce qui lui serait pour toujours refusé. Prise dans un piège temporel, Chloé se portait dans un avenir chimérique, n'ayant plus pied dans le présent et désavouant un passé construit de pensées pour un enfant qui n'était finalement pas le sien. Le silence durait. Joa devenait témoin de l'accident des émotions de Chloé. Démangé par le malaise, il se crut obligé de dire quelque chose :

— C'est sûr qu'y a pas un parent qui veut voir le nom de son enfant officiellement écrit sur un certificat de décès avant de l'être sur un certificat d'études.

Chloé se reprit :

— Qu'est-ce que vous vous apprêtiez à dire, avec votre histoire d'adaptation ?

Soulagé de retrouver la jeune femme moins émotive, le quêteux profita de cette ouverture :

— Y va falloir faire évoluer vos croyances, vous faire à l'idée que votre vie sera pas celle que vous pensiez, mais que ça sera pas juste du caca mou non plus.

— Joa, je sais que je dois refaire ma vie sans mon bébé, dit Chloé avec l'intonation que l'on prendrait pour parler à un enfant.

— Ah, je dis pas bien les choses, j'ai pas tous vos beaux mots et l'esprit aussi clair que vous, s'énerva Joa. Et puis, vous l'avez drôlement, la situation, pour faire perdre leurs moyens aux gens ! Je dois pas être le premier qui trouve pas les mots...

— En effet. Ce n'est pas grave, recommencez.

— Je voulais dire que vivre sans votre bébé, ça doit devenir comme si ça avait toujours été de même, comme si tout le monde vous avait toujours connue avec votre histoire.

— C'est simpliste, non ?

— Vous êtes chiante, Chloé, parce que vous connaissez c'est quoi le succès. Vous avez confiance en vous parce que vous savez que vous êtes capable et, en dedans d'vous, vous savez même que vous avez la force de... d'y aller « rail-trou ».

— *Right through ?* Vous voulez dire la force de dépasser l'épreuve ?

— Peu importe.

— C'est quoi le problème, selon vous, alors ?

— Le problème, c'est que les choses ne se sont pas passées comme vous le vouliez et vous ne savez pas pourquoi.

— Vous croyez que je suis du genre à me demander : « Pourquoi moi ? » C'est une question bien trop cruelle, une question de…

Chloé s'interrompit : elle s'était promis de changer d'attitude, de démontrer davantage d'ouverture. Elle préféra laisser sa phrase en suspens.

— Une question de victime, vous alliez dire ? C'est pas à ça que je pensais, de toute façon. Je pensais à la question : « Pour quoi ? »

— Vous, vous l'êtes-vous posée, cette question, avant de mettre votre adresse sur un banc de parc ?

— Non… Ça n'avait pas de sens à ce moment-là.

— Alors pourquoi ça en aurait davantage pour moi maintenant ?

— Parce que vous n'êtes pas instable comme moi, parce que vous êtes capable de gérer vos affaires tu-seule, parce qu'un jour vous allez pouvoir refaire des projets à long terme. Vous avez déjà une place dans la société, Chloé, perdez-la pas.

— Mais je ne sais pas comment rembarquer sur les rails ! Je suis hors circuit depuis le début de mon calvaire, j'ai coupé les ponts avec tout le monde parce que je n'en pouvais plus de blesser les autres. Imaginez le choc que je cause aux gens : on se réjouit toujours de l'arrivée d'un bébé – à mon âge, du moins ! –, et moi qui devais amener la vie, j'annonce la mort. Ma nouvelle est trop terrible. Personne n'est prêt à l'entendre.

— Les petits bébés qui meurent, c'est tabou.

« Si vous saviez… », se dit Chloé.

— Sauf que, poursuivit Joa, si vous voulez être une gagnante, comme vous dites, y faut changer votre mental, comme j'vous dis. En ce moment, vous voyez juste que vous faisiez tout bien, mais que vous venez de pogner un os dans votre jambon.

— Je ne vous suis pas.

S'efforçant de convertir sa pensée en mots, Joa fronçait les sourcils, fixait intensément une miette sur la table comme pour la faire léviter. Chloé eut pour la première fois l'impression que le quêteux tentait sincèrement de lui apporter son aide, que sa position d'observateur pouvait lui avoir fait déceler lequel des pistons de son psychisme avait emprunté une course malade.

— Il faut que vous arrêtiez de penser que les gens vous estiment pour ce que vous croyez qu'ils voient de vous. Vous, vous les sous-estimez. Vous faites vos choix d'après ce que vous…

Joa cherchait le mot juste.

— D'après ce que je présume que les autres valorisent ? avança Chloé.

— Quelque chose de même… On dirait pas que vous êtes juste Chloé : vous êtes vos études, vous êtes votre job, vous êtes vos B.A.

— Et pourquoi je ne me définirais pas par ce que je fais ?

— Ça sert à rien. Juste de la pression.

— Pourtant, mes réalisations ne sont jamais perdues.

— OK, alors c'est quand vous faites des choses juste pour les autres que ça devient ridicule.

Comme de vous présenter à moi en étant « Chloé, directrice ». Vous pensiez que la table était mise en me tartinant votre statut. Mais moi, j'm'en fous. Pour moi, vous êtes pas cette femme-là. Vous êtes « Chloé la coléreuse », « Chloé la chic », « Chloé cœur-sur-la-main »…

Joa prenait les poses que lui suggéraient les différentes facettes de la personnalité de la jeune femme, mais celle-ci ne voyait toujours pas où le quêteux voulait en venir et interrompit son cirque, quelque peu impatiente :

— Mais vous vous présentez vous-même en déclinant vos ascendances astrologiques !

— Justement parce que je savais que ça valait rien pour vous. Alors que vous, vous vous êtes identifiée par le travail.

— Je ne comprends toujours pas où est le mal.

— Si vous êtes ce que vous faites et que vous réussissez pas votre bébé du premier coup, bonjour les dégâts !

Chloé ne le nia pas.

— Tant que pour vous, tout sera une question de faire…

— De savoir-faire ?

— Peu importe, dit Joa, vous aurez juste pas le flair d'vous en sortir.

— Qu'est-ce que je dois changer, alors ?

— Votre façon de voir les choses. Arrêtez de vouloir *faire* quelque chose, essayez d'*être* quelqu'un…

— Mais je suis…

— … fidèle à vous-même, à vos valeurs.

Chloé comprit enfin ce que Joa tentait de lui expliquer.

— Vous voulez dire qu'il faudrait que je voie cet événement comme une source de fierté ?

— Dans votre langage à vous, c'est ça.

— Mais personne ne va comprendre comment je peux être *fière* de la mort de mon enfant. C'est bien trop affreux à dire à voix haute, s'émut Chloé en baissant le ton.

— C'est pour ça que vous devez commencer par y chercher un sens juste pour vous. Y se peut que vous trouviez des réponses gênantes, mais ça sera les vôtres. Arrêtez de chipoter sur ce que vous avez perdu, cherchez ce que vous avez gagné.

— Quand on dit qu'un deuil, c'est une perte…

— Essayez pas de faire des maths.

Joa eut un pâle sourire.

— En philo, on disait que le deuil, c'est pas ce que vous avez perdu, c'est tout ce que vous allez faire pour remplir le trou dans votre cœur.

Chloé sentait tout son être s'apaiser au même rythme que les paroles de Joa faisaient lumière. Un mélange de fatigue – qui pour une fois n'était pas une grande lassitude – et de calme déliait les muscles de ses épaules sous tension, de ses pieds nerveux et de ses mâchoires contractées. Pour les prochaines minutes, la prochaine heure peut-être, elle pouvait tout à coup aspirer à ressentir autre chose que la sensation d'une brûlure au deuxième degré dans toute la poitrine.

— Joa, qu'est-ce que la mort de mon bébé vous a apporté, à vous ?

— Chloé, vous faites pas ce que je vous ai dit, mais c'est un début quand même…

Elle sourit. Joa poursuivit :

— J'imagine que maintenant que je me trouve ben intelligent d'avoir dit tout ça, y faudrait que je retourne le miroir vers moi.

— Avez-vous des enfants, Joa ?

— Oui, madame. Trois morveux qui ont poussé jusqu'à l'âge adulte.

— Vous ne croyez pas que…

— Vous m'excuserez, Chloé, fit le vieil homme en se levant, il est tard et j'ai beaucoup à marcher.

Sur un coup de tête, Chloé sortit un crayon et aligna lettres et chiffres sur le verso d'un ticket de caisse.

— Joa, faites-vous beau samedi et soyez à mes côtés pour regarder s'envoler un ange.

Le voyant hésiter à prendre le bout de papier, Chloé ajouta, malicieuse :

— Il y aura un buffet…

— Et votre famille ? Vos amis ?

— Je ne sais pas ce qu'ils en diront, mais au fond de moi, c'est de ça que j'ai envie, insista Chloé.

Le sans-abri attrapa machinalement le papier qu'elle lui tendait toujours.

— Je vous préviens, je suis pas fiable.

— Je ne vous attendrai pas ; on sait tous les deux que vous avez mieux à faire…

Joa allait quitter la terrasse du café, mais il se retourna une dernière fois.

— Lâchez-moi la « grande braille » maintenant, Chloé, et faites une place dans votre vie à ce bébé, peu importe la forme et le temps qu'il a pris pour venir vers vous. Chez les frères, on nous répétait que, pour entrer dans la mort, y fallait se sentir aimé. Ça se voulait une référence à Dieu, mais moi, j'me dis que pour avoir reviré d'bord aussi vite, votre bébé avait reçu tout un concentré d'amour!

Chloé fit un signe entendu à Joa qui, l'instant d'après, jetait ses pas sur le trottoir. Elle étira la main pour cueillir la rose du mime, abandonnée plus tôt sur une chaise, mais son geste, lancé à travers la houle de ses larmes, manquait de justesse. Elle resta assise, déposa les coudes sur la table et les mains sur ses paupières closes, et pleura, sans se préoccuper d'autre chose que de se remplir les yeux du visage délicat de son bébé.

CHAPITRE 2

LE CÉLÉBRANT
ET L'ÉTHIQUE

Il était 9 heures précises quand Chloé appuya sur la sonnette de l'entrée. Elle n'avait pas eu de difficulté à trouver l'adresse du petit duplex sis dans le quartier Rosemont. Le complexe funéraire lui avait organisé un entretien avec le célébrant qui allait officier dans une chapelle la cérémonie d'au revoir à Théo. Elle n'était pas à l'aise avec l'idée de donner carte blanche à un inconnu pour être à la barre d'un moment clé de leur deuil, c'est pourquoi elle avait insisté au téléphone pour rencontrer la personne et s'assurer que le déroulement de l'événement rejoindrait un minimum de leurs valeurs. Cependant, il semblait que l'homme en question n'avait pas beaucoup de disponibilités, et Chloé avait dû se résoudre à ce qu'Antoni et elle se partagent les rendez-vous à l'agenda pour respecter d'autres obligations. Car il y avait autant de détails à régler dans l'organisation de funérailles que dans celle d'un mariage, le temps et la légèreté en moins.

Un homme ouvrit la porte, la mi-trentaine, une coupe de cheveux non orthodoxe, un sourire qui ne semblait jamais loin des lèvres, le regard tranquille.

— Oui ? s'enquit-il.

— Je viens voir le prêtre Olivier Guertin.

— Olivier Guertin n'est pas prêtre, mais vous pouvez le rencontrer quand même.

— Merci, dit Chloé en entrant dans le logement.

Alors qu'elle s'immobilisait dans le corridor, escomptant que le jeune homme irait quérir quelqu'un, il lui tendit la main.

— Enchanté !

— Mais…

— Vous vous attendiez à quelqu'un de plus âgé, je présume. Vous n'êtes pas la première. D'ailleurs, permettez-vous – Chloé ? – que je vous tutoie ? Nous avons pratiquement le même âge…

— Oui, bien sûr. Donc, vous… tu n'es pas prêtre ? Ça ne pose pas de problème pour présider une cérémonie religieuse ?

— Est-ce qu'il n'y a que les prêtres qui soient autorisés à parler de Dieu ?

— Non, naturellement, admit Chloé sur un ton plus bas.

Olivier Guertin la guida vers le salon et l'invita à s'asseoir. Il prit l'initiative de s'installer tout près d'elle, sur le fauteuil positionné perpendiculairement au sien.

— Le complexe funéraire m'a informé de la particularité de votre deuil. J'ai plusieurs textes à te soumettre. Avant cela, je dois te poser une question personnelle. Es-tu croyante, Chloé ? demanda Olivier, sans brusquerie.

— Ma famille et Antoni, mon conjoint, le sont.

À sa manière de s'exclure de la réponse, le célébrant comprit que Chloé n'était pas croyante.

— Es-tu à l'aise avec le choix d'une cérémonie religieuse ?

— Oui, tout à fait. L'important, c'est que le plus grand nombre y trouve un réconfort.

— Et ce n'est pas ton cas ? questionna Olivier.

— Je trouve une consolation dans l'idée d'avoir près de moi tous ceux que j'affectionne, dans le cérémonial de l'événement et dans le fait de prendre le temps de dire au revoir.

— Mais pas dans l'idée que ce soit Dieu qui ait rappelé votre petit bébé près de Lui.

— Dieu n'a pas rappelé Théo près de Lui.

— Tu sembles si convaincue, s'étonna légèrement Olivier. Pourquoi ?

— C'est nous qui l'avons laissé partir…

— Je ne suis pas certain de saisir la nuance.

Comme un joueur de poker, Olivier guettait la réaction de Chloé. Ce ne fut pas un malaise, plutôt une hésitation subtile dans l'inspiration de la jeune femme, dans le déplacement de sa main sur le fauteuil, dans son regard, qui le mit sur la piste. Il changea ses plans.

— Je propose d'aller marcher. J'apporte ce que j'ai mis sur papier. S'il pleut, on entre dans un café ; si le soleil perce, on profite de la marche pour mieux réfléchir. Je pense que si je connais un peu mieux votre histoire, la cérémonie d'au revoir sera plus signifiante pour vous.

Chloé ne s'y opposa pas, mais montrant le second sac qu'elle portait en bandoulière, elle crut bon de demander :

— Dans ce cas, si on se dirige vers la rue Beaubien, serait-il possible de me laisser faire une course ?

Olivier opina de la tête et s'éclipsa pour prendre un manteau.

Sur le trottoir de la rue Molson, il était vrai que l'air plus frais que la veille aiguisait la pensée. Olivier semblait respecter un certain silence pour permettre à Chloé de choisir ou non de saisir la perche qu'il lui avait tendue. En raison du jeune âge d'Olivier ou de la grande humanité qui transpirait de sa personne – elle ne sut exactement –, elle choisit de se lancer :

— Il y a deux semaines, lorsque les médecins nous ont fait connaître le résultat des tests génétiques de notre bébé et nous ont annoncé que des atteintes physiques et neurologiques importantes étaient à prévoir, je n'ai plus su où j'en étais. Antoni et moi étions prêts à accueillir un enfant différent, qui demanderait qu'on mette notre confort de côté, qu'on bataille pour lui tailler sa place dans la société, qu'on s'ouvre le cœur. Mais les spécialistes nous reprenaient constamment dans les questions qu'on formulait, répétant que le handicap anticipé ne pouvait pas être léger, qu'il s'agissait d'atteintes de modérées à sévères.

— Qu'est-ce que ça impliquait, « de modérées à sévères » ?

— Le cas de notre bébé était complexe. Personne ne pouvait dire avec certitude ce qu'il allait en être exactement. Tout ce qu'Antoni ou moi connaissions en termes de handicap ne s'approchait même pas de ce que tâchait de nous décrire la généticienne.

— Pourquoi ? Ces cas-là ne sortent jamais de l'hôpital, c'est ça ?

— En quelque sorte.

— J'imagine qu'un enfant qui présente des atteintes modérées ne peut ni lire ni écrire, mais peut-il parler, communiquer d'une certaine manière?

— Je ne sais pas. Je n'ai pas tout compris du discours des médecins. Ils insistaient beaucoup sur la probabilité d'atteintes sévères, qui pouvaient signifier que l'enfant ne développerait jamais le réflexe d'avaler et devrait être gavé à vie, ou encore qu'il n'apprendrait jamais à s'asseoir et devrait se maintenir à l'aide d'attelles.

— Mais si votre bébé avait présenté des atteintes modérées…

— Tout le dilemme était là…

— Le dilemme? Quel dilemme?

Chloé s'arrêta de marcher et affronta le regard d'Olivier.

— Quand j'ai compris que tout ce qu'on nous annonçait voulait dire que mon bébé pourrait grandir sans jamais avoir conscience de ses parents, de moi…

La voix de Chloé s'était cassée et elle cherchait à se reprendre.

— … quelque chose s'est brisé. J'ai alors eu peur de l'avenir, je ne savais pas comment j'allais trouver la force de répondre aux besoins de cet enfant. Je n'exigeais pourtant pas qu'il ait la même perception de la réalité que moi. Je sais que des parents d'enfants autistes peuvent établir des relations fabuleuses avec eux, et combien existe-t-il d'autres différences qui forcent les parents à s'ouvrir à d'autres valeurs que les leurs par l'entremise de leur enfant?

— Ce n'est pas faux. Le plus souvent, même, ces différences ne proviennent pas forcément de handicaps physiques ou intellectuels. J'imagine que le meilleur exemple est le cas des parents qui découvrent l'homosexualité de leur enfant.

— Oui, c'est probable. Dans notre situation, la généticienne avait été claire : nous devions nous attendre à ce que les atteintes du bébé soient plus lourdes que celles d'un enfant trisomique. J'anticipais déjà tous les voyages à l'hôpital, la difficulté de trouver des moments de répit, les vacances qu'on ne vivrait plus jamais avec la même insouciance, la crainte de n'avoir plus de temps pour d'autres enfants…

— Avais-tu peur de la réaction de vos amis, de votre famille ?

— Sur ce point, pas du tout. Je n'ai jamais douté qu'ils accueilleraient cet enfant. S'il y avait eu autour de nous des gens qui n'étaient pas prêts à ça, en ce qui me concerne, ils seraient passés à l'aiguillage. Non, dans les faits, c'est de moi que j'ai eu peur. Avant de devenir enceinte, je m'étais demandé pourquoi je voulais des enfants.

— C'est intéressant. Hormis la raison évidente de l'instinct, peu de gens sont capables de répondre à cette question, dit Olivier, encourageant Chloé d'une main tendue à reprendre la marche.

— Étonnamment, j'avais trouvé passablement de réponses !

— Quelque chose me dit que tu cherchais à convaincre quelqu'un, osa Olivier sur un ton amical.

Chloé sourit, un brin nostalgique de se rappeler ses discussions avec Antoni, à l'aube de dire oui à l'aventure de devenir parents.

— Et alors? s'enquit Olivier. Quelles étaient ces réponses?

— Oh, transmettre ses valeurs, partager la vitalité, rester jeune plus longtemps, cimenter le couple, répondre à la norme, masquer la futilité de la vie, voire se constituer un régime d'épargne-retraite! blagua Chloé.

— Et pourquoi pas juste « devenir meilleur » ?

— Eh bien, c'est peut-être la seule raison d'avoir des enfants qui tienne la route, finalement. Quand on m'a décrit le bébé que j'avais dans mon ventre, pour moi, ce n'était pas Théo – pourtant, ça avait été *lui* sur toutes les photos d'échographies. Ce n'était pas lui, parce que jamais l'enfant qu'on me décrivait n'aurait pu être désiré par des parents. Aimé, sûrement; désiré, jamais. Bêtement, je n'ai plus été capable de trouver une raison de mettre cet enfant au monde. C'est là que j'ai eu peur de moi, peur de ce que je ferais si les sacrifices et les privations qui viennent d'office quand on élève un enfant n'étaient pas compensés par le plaisir de le voir apprendre, rire, communiquer, s'émerveiller. Grandir.

— Mais il était trop tard pour avorter, je présume… Que s'est-il passé?

— Je suis allée là où toutes les questions honteuses trouvent des réponses. Sur le Net, j'ai lu tout ce qui se rapportait aux anomalies chromosomiques. C'est ainsi que je suis tombée sur l'acronyme IMG.

La jeune femme cessa à nouveau de marcher. Olivier l'imita, se tourna vers elle.

— Je ne voudrais pas te choquer, prévint Chloé. Tu n'es pas obligé de savoir.

— C'est vrai : « Ce qu'on ne sait pas ne fait pas de mal. »

— Non, je tente seulement d'épargner tes croyances et tes valeurs.

— Tu n'as pas à le faire, Chloé. Tu as commencé à parler de ta réalité, c'est donc que tu me crois capable de t'y accompagner. Que veut dire IMG ?

— Interruption médicale de grossesse.

Les larmes coulaient doucement sur les joues de la mère orpheline. Elle ne s'habituait pas à prononcer à haute voix cet arrêt de mort. Et pourtant, lorsqu'elle avait compris qu'une telle intervention médicale pouvait, dans certaines situations, se pratiquer, elle avait ressenti un tel soulagement. Son sentiment de libération avait cependant été de courte durée, car presque instantanément elle s'était retrouvée accablée par la culpabilité. Comment pouvait-elle être celle qui donnait à la fois la vie et la mort ?

Olivier demeurait silencieux, atterré malgré lui.

La première fois qu'elle avait évoqué la possibilité de l'IMG devant Antoni, Chloé l'avait vu avec horreur se détourner d'elle. Elle s'était alors laissée glisser au sol, anéantie, se répétant pour elle-même : « Pas ça, surtout pas ça… » Elle comprenait que le réflexe premier d'Antoni avait été de repousser la source de sa souffrance, puis de réaliser que cela ne se pouvait, que leur seul salut dans le désespoir était de rester unis. Antoni l'avait donc rappelée à lui dans les secondes qui avaient suivi son premier mouvement, et elle s'était précipitée dans ses bras ouverts pour ne former qu'une seule douleur, les larmes de l'un ruisselant sur la joue de l'autre. La crise avait passé comme un nuage de mauvais temps. Néanmoins, dans la tempête, pendant un instant, Chloé avait été clairvoyante : si la vie, impitoyable, la contraignait à choisir entre son amour et son enfant, elle savait désormais comment elle trancherait la question.

— L'IMG, c'est un fœticide… La loi le permet ? demanda Olivier, qui n'osait trop y croire.

— L'acte est légal si la vie de la mère est en danger – disons à cause d'une pathologie cardiaque, d'un problème placentaire – ou si le bébé est condamné, ce qui peut survenir quand il y a rupture prématurée des membranes ou infection à cause d'un col dilaté, ou encore dans la situation transfuseur-transfusé.

— Lorsqu'il y a deux bébés, c'est ça ?

— Oui. L'un grandit au détriment de l'autre, ce qui met en péril les deux bébés. On doit alors faire ce qu'on appelle une réduction fœtale sélective. Et puis, il y a les maladies graves et incurables comme des malformations létales.

— Ou une anomalie chromosomique.

— C'est ce que j'avais retenu de mes lectures, en effet. Quand j'ai téléphoné à la généticienne, elle n'était pas surprise de mon appel. Il était prévu que l'hôpital me contacte pour planifier la rencontre durant laquelle on allait nous informer des alternatives possibles.

— Parce qu'il y en a plusieurs ? demanda Olivier en sourcillant.

— Quelques-unes, oui, mais au regard de la loi, les médecins ne sont autorisés à discuter de ces options avec les parents qu'en personne. Il nous fallait donc attendre d'avoir un rendez-vous avant d'être fixés sur l'avenir du bébé, de sorte que nous avions soixante-douze heures, Antoni et moi, pour essayer de voir clair dans nos valeurs.

— Je ne peux pas croire… Il s'agit d'une question éthique importante.

— Voilà. Tu sais ce que nous savions au moment où nous devions nous attendre au pire. Si tu devais être parent dans pareilles circonstances, que choisirais-tu pour ton enfant, Olivier ? Une vie hypothéquée ou une mort sans passé ?

Ils arrivèrent à la hauteur de la boutique d'un fleuriste. Chloé désigna son sac en bandoulière.

— Je dois réellement régler un truc, annonça-t-elle à Olivier. Ça ne prendra que quelques minutes. Réfléchis à mon dilemme durant ce temps.

— Mais je ne connais pas les autres alternatives…

— Je ne les connaissais pas non plus.

— Je t'accompagne, fit-il en lui ouvrant la porte du commerce.

Au son de la clochette, un homme cachant sa taille de pomme derrière un tablier vert, le stylo sur l'oreille, les accueillit. Sans doute habitué par son métier à traiter des événements de la vie allant des plus tristes aux plus joyeux, le commerçant employa un ton circonspect pour saluer ses clients, ni trop jovial ni trop affecté.

— Que puis-je pour vous ?

— J'aimerais faire faire un coussin de cercueil, dit Chloé.

— Très bien. Quelle est la date des obsèques ?

— Demain.

— C'est serré, mais la fête des Mères étant passée, ça devrait être possible. Quel format souhaitez-vous ?

— Le cercueil fait vingt et un pouces, articula Chloé, la gorge nouée.

— Madame, commença le fleuriste sur un ton de reproche, la largeur du cercueil ne m'est pas utile. J'ai besoin de connaître la longueur.

— Vingt et un pouces, répéta fermement Chloé.

— C'est que… c'est petit, vingt et un pouces ! s'étonna l'homme.

— Monsieur, s'emporta Chloé, rattrapée par les larmes, ce n'est pas la peine de me le rappeler !

Elle ouvrit son sac et en sortit un animal en peluche. Ses mains tâtaient compulsivement l'abdomen du toutou qui lui remémorait si durement l'absence de son bébé. Acheté plusieurs mois avant que le rêve de la grossesse se concrétise, l'ourson avait toujours été associé au bébé, comme le pendant concret d'une réalité longtemps trop subtile pour être perçue. Il portait en lui tous les espoirs de l'attente et les rêves de la petite enfance. Consciente que le petit corps de son enfant ne s'abandonnerait plus dans ses bras, Chloé n'avait que la peluche pour consoler son besoin viscéral de prendre, d'enserrer, de câliner. Aux yeux d'Antoni et aux siens, le toutou avait pris en peu de temps une valeur irrationnelle, comme s'il s'agissait de la dernière passerelle liant Théo à leurs mains aimantes. Le perdre à ce moment du deuil aurait signifié l'éclatement de leur ultime garde-fou. En se voyant confier la mission d'apporter l'ourson de

Théo chez le fleuriste, Chloé soupesait combien Antoni et elle étaient fragiles. Ils ne pourraient supporter qu'il arrive malheur à la peluche.

La main d'Olivier apparut sur l'épaule de Chloé, lui faisant reprendre contact avec le présent. Elle tendit le toutou au commerçant.

— Nous aimerions que vous l'incorporiez au coussin. Je ne vous dis pas à quel point il nous est précieux, ne l'égarez pas.

— Sûr... Bien sûr, répondit le fleuriste, déstabilisé, l'expérience ne l'ayant pas parfaitement immunisé contre ce genre de situations. Avez-vous pensé à une couleur de fleur en particulier ?

— Idéalement, des teintes blanches et bleues.

Blanches pour l'enfance, bleues pour... pour ses yeux ? Quelle était la couleur des yeux de Théo ? Elle ne le saurait jamais. Quelle mère ne connaissait pas par cœur la couleur des yeux de son enfant ? Pensée casse-gueule. Bleu petit garçon, seule consolation.

— Que diriez-vous de tulipes blanches et, pour le bleu – ça, c'est plus rare –, d'iris versicolores ? fit le fleuriste, après un regard à son comptoir réfrigéré.

— Laissez-moi faire un appel. En attendant, voici les coordonnées de la livraison et la carte pour le paiement.

Pendant que le commerçant notait les infos et préparait la facture, Chloé valida avec Antoni le choix de l'arrangement floral. Lorsqu'elle raccrocha, elle transmit la demande d'Antoni :

— Pourriez-vous insérer également des grappes de fleurs immatures ?

— Vous voulez des fleurs en bouton ?

Signant distraitement la facture, Chloé se sentit obligée d'expliquer :

— Ce serait un rappel des yeux de notre bébé, qui n'ont jamais éclos.

— Vous aimeriez ajouter une carte ? proposa poliment le fleuriste.

— Laissez faire, répondit Chloé en prenant le bras d'Olivier, j'ai déjà le bon gars dans mon équipe pour intercéder auprès du Bon Dieu.

Et lui et elle sortirent de la boutique d'un même pas.

Dans la rue, le plafond nuageux s'accrochait aux clochers des églises, et un crachin froid donnait au printemps des allures d'automne. Chloé eut une pensée pour le vieux clochard qu'elle souhaitait assez rusé pour s'être fait payer une soupe à couvert. Sa rencontre avec Joa le Quêteux lui avait permis de drainer une part de son courroux, de sorte qu'elle réfléchissait désormais un peu plus librement.

Olivier entraîna Chloé dans une petite pâtisserie que les fours à pain avaient gardée chaleureuse depuis l'aurore. Ils commandèrent des croissants à l'érable qu'ils arroseraient de deux bols de café au lait.

— Décaf ? s'enquit la serveuse, avec un regard au ventre de Chloé, qui vit rouge.

— Non. Et vous savez quoi ? Étant donné que mon bébé est...

— Apportez-nous aussi deux coupes de fruits, mademoiselle, l'interrompit Olivier, et ce sera tout. Merci.

La jeune fille tourna les talons et se dirigea sans presse au comptoir.

— Chloé, c'est inutile de vouloir éduquer les gens en ce moment. Garde ton énergie pour toi.

— Mais de quoi elle se mêle ? C'est à croire que lorsqu'une femme est enceinte, son bébé devient celui de l'humanité tout entière et que tout le monde a son mot à dire.

— Ce n'est pas complètement faux. Je trouve même bon que certains se préoccupent du bien-être des autres, voire du bien de l'humanité.

— Donc, tu as réfléchi à mon dilemme, constata Chloé.

— Mais je ne suis pas parvenu à me positionner, admit le jeune homme.

— Nous n'y sommes pas arrivés du premier coup non plus, lui avoua-t-elle.

— Je me suis d'abord demandé si le fait d'empêcher cet enfant de naître n'était pas un cas de... de sélection de la race.

— Tu penses à une forme d'eugénisme, comme en Allemagne nazie ? dit Chloé, sur la défensive.

— Dans ce pan de l'Histoire, il n'y a pas de doute qu'il s'agissait d'une dérive. Ce n'est évidemment pas le même enjeu.

— De toute façon, Antoni et moi ne cherchions pas le mieux-être de la race humaine, on souhaitait seulement prendre une décision pour le mieux du bébé.

— Mais les décisions individuelles des futurs parents peuvent contribuer à l'eugénisme. De tels actes ne sont pas que le fruit des politiques d'un État. Dès qu'on parle de la recherche de « l'enfant parfait », on...

— Donc, tu conclurais que pratiquer une IMG est un acte eugéniste ? résuma Chloé, froidement.

— Je n'ai pas dit ça. Mais c'est sûr qu'en apparence, c'est contraire aux valeurs humanistes chrétiennes…

Chloé se leva et, la main tremblante, elle farfouilla dans son sac pour trouver de la monnaie à déposer sur la table. Antoni et elle avaient traversé un très long processus dans lequel ils avaient été plongés bien malgré eux. Elle n'éprouvait aucune honte quant à l'issue de leurs échanges, mais elle ne se sentait pas du tout l'âme de se justifier. Pas devant l'ampleur de leur perte.

— Ce n'était décidément pas une bonne idée de me lancer dans cette discussion avec… avec un… avec toi. On ne pourra jamais partager le même point de vue, conclut Chloé, d'un ton catégorique.

— Chloé, le but n'est pas d'avoir la même opinion. Je découvre votre histoire.

— Dis plutôt que tu la juges avec le regard de l'Église.

— Je ne la juge pas, j'essaie de me forger un avis, comme vous avez eu à le faire. On n'y parvient pas du premier coup, tu l'as dit – qu'on relève de l'Église ou non –, et on aboutit parfois dans des champs minés. Laisse-moi le temps d'explorer les implications de votre décision, j'en apprécierai d'autant plus la force de votre parcours.

Le plaidoyer d'Olivier avait été convaincant. Chloé, hésitante, finit par se rasseoir. Elle ne pouvait que constater combien la vie n'était pas tendre avec elle, l'amenant à tanguer sur les émotions comme un lourd baleinier, fracassant ses certitudes en la forçant à se mouiller dans des eaux troubles et mouvantes. Elle avait choisi malgré tout de naviguer sans instruments, ce qui voulait dire, en l'occurrence, qu'elle rejetait les dogmes qui auraient pu faciliter leur décision pour trouver la voie qui allait être la leur. Les émotions fortes de cette quête avaient eu l'avantage indéniable de sceller leur résolution.

D'un autre côté, quels motifs avait-elle d'aller si loin dans cette discussion avec le jeune célébrant ? Pour les besoins de la cérémonie, ils pouvaient tourner les coins ronds. L'attitude curieuse d'Olivier, un inconnu à la fois intelligent et habile qui ne partageait toutefois pas ses valeurs, la bousculait, certes, mais lui donnait aussi l'occasion de découvrir à développer d'autres forces. Elle décida d'accepter que le bagage religieux d'Olivier vienne teinter leur débat.

— Mettons un point au clair, Chloé : je ne suis pas un homme d'Église, je suis un homme de Dieu. J'entends par là que mon rôle premier est de livrer un message d'amour. Je sais intransigeantes certaines positions politiques de ma communauté, notamment au sujet de l'avortement et de l'euthanasie, mais elles ne doivent pas nous concerner ce matin, même si, de temps en temps, tu sauras reconnaître de quelle école je relève.

— Entendu, dit Chloé.

Elle fit un effort pour adopter une autre perspective que celle que lui dictait son opinion.

— Je comprends, dans une certaine mesure, qu'il est plus facile pour une organisation religieuse de se positionner en défaveur d'un geste médical tel que l'IMG : avouons que ça demande moins de réflexion et que c'est plein de vertu !

— Je ne vis pas la tête dans le sable, Chloé, je sais que la réalité est plus nuancée. Bien des dangers justifient que l'Église se soit opposée à la doctrine de l'eugénisme. Malheureusement, je constate que, pour protéger la vie, elle a adopté une position radicale…

— … alors que je ne crois pas qu'il y ait lieu de craindre un tripotage du patrimoine génétique, pas dans le contexte où la décision d'interrompre une grossesse est dictée par le facteur de la santé. Je vois les choses un peu comme la sagesse que nous fait gagner la vieillesse : l'expérience et la connaissance permettent tôt ou tard de prédire certains événements. Pourquoi ne pas voir que c'est ce que permet désormais la science ?

— Mais il y a un risque de se tromper, non ?

— Olivier, les conditions pour accorder une IMG sont très strictes. Rien n'est improvisé : les médecins ne disent pas aux parents quelle décision prendre, ils répondent à leurs questionnements. Par ailleurs, la demande des parents n'est pas suffisante pour obtenir satisfaction : il faut l'avis favorable d'au moins deux médecins spécialistes ou d'un comité pluridisciplinaire qui évaluent l'état de santé global du bébé. Crois-moi, quand on envisage l'euthanasie pour son propre enfant, c'est qu'on a la certitude que la vie sera pire que la mort.

— Mais pour qui ? Pour les parents ou pour l'enfant ?

— Tu as l'air de penser qu'une telle décision pourrait résulter d'un motif égoïste.

— Des gens pourraient effectivement le croire. On pourrait estimer que les parents ne sont pas prêts à investir temps et argent pour cet enfant qui n'a pas choisi son handicap…

— Olivier, comment peux-tu dire une chose pareille ? Peu de couples ont les moyens d'offrir les médicaments, les chirurgies et l'équipement médical, encore plus nécessaires que les couches et les biberons. Ce n'est pas seulement une question d'amour, tout ça. Je sais que les considérations religieuses importent, mais l'aspect matériel ne peut pas être évacué spontanément, pas dans un contexte où on sait que le système de santé est déjà surchargé et que l'obtention des services ne sera peut-être pas systématique.

— Justement, c'est la raison pour laquelle il existe des fondations, des organismes de bénévoles, des collectes de fonds…

— C'est là que tu es naïf, Olivier, rétorqua Chloé. On va remuer ciel et terre pour améliorer le sort des enfants malades, mais lorsqu'ils atteignent l'âge adulte, les ressources se font drôlement plus rares. L'Église, avec son code de droit canon, s'investit de la mission de défendre la vie par amour pour les enfants, quand le Code civil rappelle aux parents leurs devoirs de protection et d'entretien de leur progéniture. L'un est-il mieux que l'autre ? J'estime que m'assurer du bien-être affectif et matériel de mon enfant *jusqu'au bout* est à la fois un acte d'amour envers mon bébé et une obligation. Je ne voyais pas comment je pouvais me défausser de ces deux devoirs.

Chloé ne s'était pas aperçue que la serveuse avait posé devant eux les grignotines et les cafés. Elle regarda Olivier dissoudre scrupuleusement une demi-bûchette de sucre dans son bol. Non sans y voir une certaine ironie vis-à-vis de la discussion qu'elle avait avec le célébrant, Chloé se rappela qu'à travers les âges, le café avait souvent été perçu comme le «breuvage du diable». Olivier posa sa cuillère et regarda la jeune femme.

— Le père et la mère n'assument pas seuls cette tâche, Chloé : c'est connu, il faut tout un village pour élever un enfant. Vous auriez eu parents et amis pour vous seconder, avec l'aide de Dieu.

— Avec l'aide de Dieu, oui, dit Chloé, sceptique. Ce n'est pas une assurance tous risques ! Est-ce qu'Il pouvait me garantir combien de temps j'aurais pu compter sur tout ce beau monde ? Mes alliés ne sont pas immortels, ni moi non plus. J'aurais sacrifié ma carrière, pendu mes rêves, assassiné mon désir d'autres enfants si quelqu'un m'avait certifié que je pouvais les troquer contre le bonheur de mon bébé ! Mais après moi, Olivier, qui aurait paré aux besoins de mon enfant, que la vie m'avait livré si fragile ? Ça, ce n'est pas se montrer égoïste, c'est être réaliste, ce que Dieu et les *soutanosaures* ne peuvent pas être.

— N'y avait-il aucun moyen d'accepter cet enfant avec ses différences ? questionna Olivier, ébranlé par le fatalisme de Chloé.

— Fais-moi confiance, on se l'est posée, cette question ! Antoni voulait tant que…

Encore une fois, la voix de Chloé la trahit, l'émotion étranglant ses paroles.

— … que le bébé puisse se faire bercer une fois, une seule fois par moi… L'hôpital nous avait informés qu'il existait un réseau d'adoption. Il aurait été possible de poursuivre la grossesse et, ensuite, de s'en remettre à d'autres pour voir grandir notre bébé. Nous ne comprenions pas que certains parents fassent ce choix.

— Une famille qui a déjà la charge d'un enfant ou d'un parent handicapé et qui se refuse éthiquement à l'IMG peut trouver un réconfort dans cette voie.

— C'est vrai que, momentanément, nous aurions pu nous sentir soulagés d'avoir cette option. Nous aurions trouvé tellement bienvenu de ne pas avoir la responsabilité d'une décision purement inhumaine. Mais pour pouvoir vivre quelques minutes le rêve d'Antoni, ce choix – bien plus que celui de l'IMG – nous semblait le plus égoïste.

— Je ne vois pas pourquoi. Vous donniez la chance à ce bébé de vivre.

— La chance ? Mais dans quelles conditions ? L'amour, pour moi, se trouve aussi dans le respect de la dignité et surtout dans la prévention d'une souffrance qui nous était annoncée.

— Annoncée, mais non mesurée. Votre décision se basait sur un risque théorique bien plus que sur une certitude.

Machinalement, Chloé pilonnait de sa cuillère les morceaux de fruits dans sa coupe, son appétit soudain envolé.

— Mais tous les cas ne sont pas comme le nôtre.

— Vous semblez avoir craint l'acharnement médical, mais je suis sûr que vous auriez pu refuser l'assistance thérapeutique, laisser aller la nature et ne pas opter pour une interruption volontaire de la grossesse.

— Premièrement, nous n'avons pas fait arrêter volontairement le cœur de notre bébé, puisque nous n'avons pas choisi qu'il soit malade – c'est une façon cruelle et réductrice de dire les choses. Et deuxièmement, je n'ai effectivement pas voulu prendre le risque d'assister à l'agonie de mon enfant et d'ajouter un traumatisme de plus à mon deuil. Là est peut-être ma part d'égoïsme, s'il faut en chercher une…

Mais Chloé demeurait persuadée qu'il n'en était rien, qu'une telle conclusion était issue d'un raisonnement loin de l'empirisme. Il fallait s'être trouvé insomniaque, à mi-chemin entre le crépuscule et l'aube, à supporter les élans de son corps qui appelait un bébé mort, pour avoir la conviction que rendre son enfant à la terre n'était pas un geste égocentrique, plutôt une tâche humaine.

Chloé continua :

— De toute façon, nous savions qu'aucune des atteintes du bébé n'était létale. Signer des papiers pour décharger l'hôpital de la responsabilité de prodiguer des soins revenait à jouer à la roulette russe : nous aurions pu condamner Théo à souffrir longuement de la dysfonction de ses organes.

— Comme vous auriez pu passer des heures merveilleuses avec lui et assister à son départ en douceur dans vos bras.

— Comment prévoir la façon dont les choses allaient se passer ? Je sais qu'Antoni aurait vécu comme une joie de voir son fils vivant. Moi, j'ai eu peur. Peur de me sentir défaillir quand il se serait trouvé en détresse. Peur de ne pas pouvoir me satisfaire de ces quelques minutes qui doivent être considérées comme toute une vie… En fait, plus nous tournions et retournions la question, plus nous nous disions que l'égoïsme, ce n'était pas de laisser partir notre bébé, c'était de vouloir le garder avec nous coûte que coûte, et nous ne souscrivions pas, au contraire de l'Église, à la vie à tout prix.

— Je comprends que, d'une certaine façon, tout aurait été plus simple s'il n'avait pas été viable…

— Nous aurions été aussi tristes, mais moins déchirés.

Chloé était encore tout imprégnée de l'intensité de ces heures durant lesquelles il avait été littéralement question de vie ou de mort. Sans compter tout l'aspect émotif, le nombre de facteurs en jeu rendait la situation d'autant plus complexe.

— Il faut dire que le temps jouait contre nous. Si la loi concède aux parents le droit de vie ou de mort sur le fœtus gravement handicapé, la possibilité de choisir disparaît lorsque la naissance consacre le fœtus en tant que personne humaine.

— C'est la même chose avec le baptême : il ne peut être donné *in utero* ou à un bébé mort-né, remarqua Olivier.

— Je ne comprends pas pourquoi.

— Pour l'Église aussi, le fœtus est considéré comme un être humain, mais pas encore comme une personne. Le début de la vie d'une personne, c'est sa naissance.

— Alors pourquoi l'Église fait tant de chichis avec l'avortement et l'euthanasie fœtale si elle ne reconnaît pas le fœtus dans ses sacrements ? Pourquoi elle préjuge du jugement de Dieu si Lui-même a donné la raison à l'homme pour développer la science et la conscience éthique ? Olivier, par moments, c'est vrai que j'ai souhaité ne pas avoir à faire le choix, ne pas avoir à décider de l'avenir de mon bébé, mais j'en suis arrivée à la conclusion qu'il pouvait s'agir d'un cadeau à lui faire, que c'était le rôle de parent que je devais assumer avec Antoni.

— Mais…

Ils furent alors interrompus par des voix qui s'élevaient à quelques pas de leur table. Une femme qui poussait le fauteuil roulant d'un handicapé, jeune mais sans âge, discutait avec la serveuse de la pâtisserie qui avait, pour la circonstance, chassé de son visage tout air maussade. Ensemble, la cliente et l'employée évaluaient la meilleure solution pour accommoder les dimensions du fauteuil dans le va-et-vient ambiant.

D'un commun accord, Chloé et Olivier se levèrent, offrant discrètement plus d'options à la serveuse. En passant à la hauteur de la femme derrière le fauteuil roulant, Chloé fit mine de s'adresser à elle, mais comme une scène déjà jouée, Olivier s'interposa et, d'un geste plein d'une douce fermeté, la poussa vers la sortie. Sur le trottoir, il croisa le regard de Chloé, émue.

Ils s'étaient remis en route sous un ciel incertain. La soirée chaude de la veille n'était qu'un souvenir. Elle marchait vers le parc Molson côte à côte avec

Olivier. Un inconnu dans la rue ne les aurait pas distingués d'un couple dans la fleur de l'âge, lui si amoureux d'elle, elle la main sur un ventre plein de promesses. Combien la réalité était autre! La main sur le ventre était un réflexe de plusieurs mois d'attente à construire ce pont de lumière avec Théo. Théo devenu souvenir. Sans prévenir, l'avenir avait culbuté en passé, sans présent. Quelle certitude avait-elle de n'avoir pas rêvé l'horreur des derniers jours? Spontanément, les gens évitaient le sujet, n'aidant pas à ce qu'elle se construise une nouvelle réalité, n'honorant pas non plus son nouveau statut de mère, dans la joie comme dans la souffrance. Elle fut catastrophée de penser que, lorsqu'elle serait assise à bercer les réalisations de sa vie, l'argent de ses cheveux représentant toute sa richesse, Théo aurait traversé sa vie plus vitement encore que ses vingt ans. La dernière semaine de grossesse, elle avait mangé et mangé comme jamais elle ne se le serait permis, même sous le prétexte de la vieille rengaine «Je mange pour deux», en espérant forcer Théo à faire ses reins et à étirer ses os longs. Elle avait secrètement prié pour qu'une vergeture vienne zébrer sa bedaine si lisse afin que jamais la mère n'oublie le fils.

Elle se rappela la femme de la pâtisserie.

— J'aurais voulu avoir cette force…, s'attrista Chloé.

— Votre décision, à Antoni et à toi, ne manquait pas de courage, Chloé, reconnut Olivier.

— Mais nous aurions pu être des parents aussi généreux que cette femme. Le bonheur, avec un enfant handicapé, n'est pas maudit. Il est possible d'être témoin de petites victoires, de créer des petits bonheurs…

— Chloé, je ne te dis pas que la décision que vous avez prise aurait été la mienne, mais il faut voir que cette femme n'a sans doute pas vécu les choses comme vous. Lui a-t-on donné le choix comme vous l'avez eu ?

— Je dois savoir.

Chloé faisait déjà demi-tour. Olivier lui attrapa la main.

— Qu'est-ce que tu fais, Chloé ?

— Lâche-moi, Olivier, j'ai besoin de parler à cette femme.

— Pour qu'elle te dise quoi ? Qu'un fauteuil roulant, dans sa vie, c'est encombrant ? Que malgré tout, elle aime son enfant ? Que, oui, elle réussit à être forte et heureuse ? Que ses amis, sa famille et ses voisins l'admirent ? Chloé, cette femme n'a pas eu le choix qu'on vous a donné, mais elle a foi en la vie et elle va de l'avant parce que c'est son instinct, la survivance de son bonheur et la meilleure chose à faire.

— J'aurais été une si bonne mère, Olivier. Moi aussi, j'aurais fait de la place à mon enfant dans une pâtisserie. J'aurais modifié son pousse-pousse, adapté un vélo en tandem, agrandi les fenêtres de la maison, même décoré le plafond de sa chambre si ça devait être son seul paysage…

Chloé pleurait, les épaules droites et le menton haut. Rien dans son attitude n'invitait à lui offrir son épaule pour qu'elle courbe l'échine. Elle ne s'arrêtait pas de marcher et se forçait à regarder au loin.

— Tu as les gènes d'une excellente maman, Chloé.

Ses pleurs redoublèrent. Repensant aux mots qu'il avait choisis, Olivier réalisa son faux pas sans savoir comment se rattraper.

— Je suis tellement désolé, Chloé, je n'aurais pas dû dire ça comme ça…

— Ce… ce n'est pas… ça, hoqueta-t-elle.

— Je ne comprends pas, lui dit Olivier, de plus en plus navré devant sa peine.

— J'ai… j'ai marché sur une crotte de chien, articula Chloé.

Olivier s'immobilisa, interloqué.

— Vraiment ? Avec quel pied ?

— Quel pied ? s'étonna Chloé, à son tour déconcertée. Le gauche.

— C'est bien, alors. C'est de la chance !

— Dans mon cas, la chance et les probabilités, ça ne veut plus rien dire…

Mais Chloé ne put s'empêcher de sourire.

— Je ne savais pas que les hommes de Dieu croyaient en la chance.

— Bof, fit Olivier en lui rendant son sourire, c'est surtout question de visualiser du bonheur à partir de n'importe quelle merde ! Jésus a dit : « En vérité, en vérité, je vous le dis, vous allez pleurer et vous lamenter, mais votre tristesse se changera en joie. »

— Ce n'était pas à l'occasion de la dernière Cène, ça ?

— Si, pour annoncer l'avènement de l'Esprit saint dans la mort. Ce n'est pas mal de s'approprier le réconfort où on le trouve. En fait, c'est le propre de la spiritualité que d'apporter du sens à la vie – à sa vie – et de répondre à des questionnements comme ceux qu'on peut avoir sur l'existence des âmes.

— Je croyais que la spiritualité n'était qu'une question de religion. On a l'impression que ça passe toujours par un être supérieur, constata Chloé, qui piaffait dans le gazon pour nettoyer son soulier chanceux.

— Alors que ce n'est pas une condition *sine qua non*. J'ai un jour fait la connaissance d'une femme qui avait, elle aussi, accouché du silence. Elle avait trouvé un apaisement dans le fait d'imaginer qu'elle donnait en adoption son petit ange à une amie morte sans enfant. C'est une force de l'esprit que de pouvoir transformer sa perception des choses pour se guérir l'âme. Dieu ne peut y être opposé, même s'Il n'est pas l'acteur principal.

— Ah, je pleure encore. De quoi j'ai l'air ! Ça met tout le monde mal à l'aise et ça m'abîme les yeux…, dit Chloé, mortifiée, tâchant de tarir ses larmes.

— « L'âme n'aurait pas d'arcs-en-ciel si les yeux n'avaient pas de larmes », cita encore Olivier.

— Et c'est de quel Évangile, ce passage-là ?

— Oh, ça ? C'est un vulgaire dicton anglais. Je me permets quelques références profanes de temps à autre pour les âmes en peine, lança Olivier avec légèreté.

— Si la fin justifie les moyens…, conclut la jeune femme.

— Chloé, garde précieusement cette dernière idée dans ton cœur, OK ? proposa Olivier, redevenu sérieux.

Elle hocha la tête, comprenant que ce serait là la seule forme d'assentiment que lui manifesterait le jeune célébrant, et se réjouit le cœur devant l'absolution qu'elle ne cherchait pas. Olivier regarda l'heure et proposa de prendre un autobus pour revenir à la voiture de Chloé, stationnée devant sa porte. Ils repérèrent l'abribus le plus près et firent la course avec un sombre nuage de pluie.

Pendue à l'une des poignées du plafond pour assurer son équilibre, Chloé avait refusé de prendre le dernier banc libre de l'autobus que lui avait désigné Olivier. En y regardant bien, une petite mare qui n'avait pas les allures de l'eau de pluie s'était amassée dans le vallon du siège. Chloé avait mal au ventre de sa longue marche avec Olivier, mais elle préférait refréner son envie de s'asseoir. Elle eut une pensée de reconnaissance pour l'obstétricienne, qui lui avait refusé sa demande de césarienne quand elle n'avait pas cru envisageable de supporter la souffrance d'un accouchement naturel pour affronter la mortinaissance de son fils. Elle s'était vu répondre : « Vous allez avoir bien trop mal pour pleurer votre bébé, et la cicatrice sur votre ventre va vous rappeler tous les jours l'épreuve que vous aurez vécue. On va faire ce qu'il faut pour que vous ayez au moins le corps moins meurtri que le cœur. » À tout le moins, sans la césarienne, elle pouvait faire faire une marche à sa tristesse.

La question d'Olivier, posée délicatement à voix basse, la tira de ses pensées :

— Chloé, as-tu pu prendre ton enfant dans tes bras après sa naissance ?

— Oui, lui confia-t-elle. Nous craignions d'abord son apparence, mais l'infirmière nous y avait bien préparés. Nous avons ensuite été tellement soulagés et fiers de le trouver beau ; le mouvement d'aversion que nous appréhendions s'est même changé en véritable coup de foudre. On ne s'est pas inventés parents ! dit-elle en souriant, comme pour s'excuser.

Par le passé, avait-on raconté à Chloé, il était fréquent que les parents ne se voient pas offrir de prendre leur enfant. On craignait que la vue des malformations, lorsqu'elles étaient apparentes et hideuses, ne les heurte, alourdissant leur deuil. Les intervenants sous-estimaient alors le besoin des parents de valider le diagnostic qui avait condamné leur bébé et la complexité accrue du deuil, d'une immanence insaisissable, comme dans le cas d'une personne disparue.

— Certains parents doivent refuser de voir leur bébé, supposa Olivier.

— J'espère pour eux qu'ils n'en ressentent jamais de culpabilité.

— Pourquoi dis-tu ça ?

— Pour avoir connu l'état de choc dans lequel on se trouve lorsque les événements surviennent. Je ne voudrais jamais remettre en question une telle décision, même si elle a pu être motivée par la peur.

— Pas facile d'admettre que ce qu'on affronte fait toujours moins peur que ce qu'on évite, observa Olivier. C'est comme le deuil : si on n'y fait pas face, il ne guérit pas. J'ai croisé plus d'une personne qui ne l'avait pas compris. En discutant avec elles, on avait l'impression qu'elles accumulaient les pertes de leur vie – des fois un divorce, une mise à pied, un déménagement – comme des morts. Il ne faut pas toujours un décès pour devoir faire un deuil…

— Belle image, nota Chloé.

— La poétesse Anne Hébert avait écrit des vers qui allaient dans ce sens : « Une petite morte s'est couchée en travers de la porte[4] », récita Olivier. Dans son poème, il était question de gens qui vivaient une vie minuscule et tranquille, car ils n'osaient pas déranger leur sœur endormie, qui les empêchait d'aller vers le monde. Ils n'avaient pas compris que le seul moyen de diminuer leur souffrance, c'était de s'ouvrir, c'était de la vivre.

— Mais c'est tellement instinctif de fuir la douleur, physique ou morale.

— En même temps, ce sont tous ces deuils qui nous permettent d'apprivoiser le désarroi de la mort. C'est un apprentissage qui me semble précieux, sachant que personne n'en réchappe.

Chloé méditait les dernières paroles d'Olivier, qui lui faisait maintenant l'effet d'être moins sermonneur que le tuteur de sa conscience en convalescence. L'autobus fit un arrêt alors que la pluie tombait dru et que les usagers se pressaient pour monter vite et en nombre. Une grosse femme aux beaux traits haïtiens joua du coude pour se frayer

---

4. Anne Hébert, *Le Tombeau des rois*, Québec, Institut littéraire du Québec, 1953, 76 p.

un chemin jusqu'au fond de l'autobus. Arrivée à la hauteur d'Olivier, elle bouscula impunément une autre passagère pour usurper la place libre. Chloé eut le réflexe de prévenir la dame qui s'apprêtait à s'asseoir sur la flaque, mais se ravisa, choquée qu'elle était par son attitude discourtoise et se sentant tout à coup l'âme d'une justicière. Mesquine, elle surveilla la réaction de la bobonne qui ne manqua pas d'embrasser de tout son fondement le petit siège. Elle n'eut pas longtemps à attendre pour voir se succéder, comme générées par un carrousel, les mimiques qui trahissaient en rafales le malaise, le doute, la stupéfaction. La grosse femme osa glisser une main sous sa fesse droite.

— *Ouch! Kisa sa a ye*[5] *?*

Successivement se peignirent sur son visage l'incompréhension, le dégoût, l'indignation. Son regard, qui quêtait de l'empathie, se buta aux yeux rieurs de Chloé.

— Vous avez vu ça ? s'emporta la dame.

Loin de partager l'irritation de l'Haïtienne, Chloé ne put réprimer son rire, comme on s'esclaffe de la pirouette d'un piéton sur un trottoir frimassé. Plutôt que d'en être choquée, la dame éclata en sanglots. Cette réaction inattendue conféra un goût amer à l'hilarité de Chloé.

— Voyons, madame, ressaisissez-vous. Il y a des malheurs bien pires que ce petit incident. Restez debout, ça va sécher, proposa Chloé, qui tentait de se racheter et maudissait son caractère frondeur.

_____

5. Traduction du créole : « Ouach ! Qu'est-ce que c'est que ça ? »

— C'est ça, le problème, brailla la femme. *Tèt chaje*[6] ! J'en peux plus des malheurs pis du sort qui s'acharne. Ma bonne étoile m'a abandonnée...

— C'est peut-être que vous attendez trop de la vie, que vous êtes trop gourmande, suggéra Chloé.

Le coup de coude qu'elle reçut entre deux côtes sur son flanc droit lui laissa présumer qu'Olivier désirait s'adresser à la femme en pleurs. Chloé se tut. Minimiser les difficultés de ses compatriotes vis-à-vis de la gravité de son propre deuil ne semblait pas une attitude qu'approuvait le bon célébrant.

— Je dirais plutôt que, parfois, pour retrouver sa «bonne étoile», il faut faire confiance au hasard des rencontres et aller vers les gens, avança Olivier, se voulant apaisant pour la bonne âme.

— Je n'y compte pas trop, monsieur, pesta la femme en dirigeant un regard noir vers Chloé. Même là, on ne résume pas une décennie dans un autobus qui donne mal au cou à force d'arrêter tous les cent mètres.

Le téléphone cellulaire de l'inconnue sonna, mais elle ne sourcilla même pas.

— Vous ne répondez pas ? demanda Chloé, conditionnée qu'elle était par son travail à réagir à la moindre sonnerie.

— Je vois pas l'intérêt, commença la dame, ma fille vient déjà de m'appeler pour me dire que ma petite-fille est mourante. Je recevrai pas de coups de fil plus importants aujourd'hui.

— Oh, mon Dieu! laissa échapper Chloé.

---

6. Traduction du créole : «La tête chargée, pleine de soucis.»

— Vous faites pas de mauvais sang pour elle, madame. Malaurie vient d'avoir dix ans : elle a déjà fait un beau pied de nez à tous ceux qui nous ont souhaité trop tôt qu'elle parte.

Mal à l'aise, Chloé jeta un regard à Olivier, qui semblait chercher lui aussi à découvrir le sens des paroles de cette grosse mama. L'attention de Chloé revint aux propos de la femme qui, contre toute attente, se laissait finalement aller à la confidence :

— Ils n'ont jamais cru, même à Sainte-Geneviève, que Malaurie alignerait un jour deux chiffres à son âge ! Toutes ces années, moi, c'est sûr que j'étais triste pour l'état de la petite, mais tellement plus de voir ma fille se décharner. Cette souffrance-là, ça part pas avec un bécot.

— Sainte-Geneviève ? interrogea Chloé.

— Le centre de réadaptation. Malaurie y a été placée il y a trois ans.

Chloé comprit avec une certaine stupeur qu'Olivier l'avait mise sur la ligne d'autobus qui desservait trois importants hôpitaux et plusieurs polycliniques et centres médicaux. On avait appelé ce circuit le 811, en référence à la ligne téléphonique d'Info-Santé. Chloé fut tentée de croire qu'Olivier avait l'habitude d'emprunter ce trajet, qui devait le mettre sur la route de gens nécessiteux de sa parole et multiplier les probabilités de rencontres comme celle de l'Haïtienne.

— Si vous saviez tout ce qu'a fait ma fille pour pas en arriver là, poursuivait la femme. Ils ont découvert le problème à la naissance. Gus, le papa, devait courir deux hôpitaux parce que Malaurie avait été transférée dans un milieu spécialisé.

Après, il a préféré courir la galipette, le pauvre diable, et ma fille a élevé sa fille malade toute seule, vous imaginez ! Avant de la laisser, il a même eu l'amabilité de lui expliquer pourquoi. Il lui a dit à elle : « De mon côté, nous n'avons pas de torts dans la famille. »

— En plus d'être inculte, il était ingrat ! marmonna Chloé, qui sautait sur l'occasion pour démoniser le géniteur déserteur, présumant qu'il n'y connaissait rien en tares génétiques.

— On est passés tellement proche du bonheur, j'vous dis pas, reprit la grosse femme, ses hochements de tête balançant de larges boucles d'oreilles en or.

— Pourquoi dites-vous ça ? demanda Olivier.

— Oh, parce que, au début, il y avait deux bébés ! Je me rappelle qu'à l'hôpital, avant qu'il soit mis au courant des complications de Malaurie, Gus marchait dans les corridors avec sa fille vivante sur un bras et sa fille morte sur l'autre. Quel tableau ! Quand ma fille a pu ramener son bébé à la maison vers dix mois, elle supportait pas de voir son double dans un miroir. Elle s'imaginait que, dès que l'enfant pleurait, elle appelait sa sœur. Alors, pour la consoler, elle lui achetait des trucs sur lesquels il y avait toujours deux chatons, deux ballons, deux cœurs, deux fleurs... Moi, j'vous jure, c'est elle qu'elle essayait de consoler.

— Le bébé vivant devait constamment lui rappeler le bébé mort, s'horrifia Chloé.

— Elle avait tellement de deuils à faire en même temps, c'était pas humain : elle avait perdu le couple que formaient les jumelles, elle pleurait la mort de l'une, la maladie de l'autre et son propre couple parti chez l'bonhomme! J'en avais mal à l'utérus de voir le cœur de ma fille à vif de même et de pas trouver quoi dire d'autre que des phrases toutes faites.

— Il a fallu beaucoup de résilience à votre fille, commenta Olivier.

— À six mois, le bébé avait fait un arrêt cardiaque. *Si bon dye deside pour li mouri ke volonte li fèt*[7].

— Mais ce n'est pas ce qui s'est passé, remarqua Chloé.

— Les parents avaient signé des papiers pour qu'il y ait pas de réanimation, mais le médecin de garde a pas consulté le dossier.

Olivier tira la manche de Chloé pour lui signifier qu'ils arrivaient à destination. Elle lui indiqua d'un signe de tête qu'elle ne descendrait pas de l'autobus et fut contente de voir qu'Olivier l'imitait. Elle s'adressa à la grosse femme:

— Et alors?

— Alors, ils ont fait repartir le cœur et vous imaginez bien que ça l'a pas «remmieutée», la pauvre petite.

— Mais votre fille a pu vivre de belles années avec sa fille, observa Chloé, envieuse.

— Oh oui, il y a eu des moments heureux, mais moi, de ma place, je voyais juste les sacrifices qu'une si petite pitance de bonheur commandait: ma fille a jamais fini la maîtrise qu'elle avait commencée, elle s'est pas remise en couple, elle a fait mille allers-retours à l'hôpital et, même avec tout ça, elle avait le cœur beurré de culpabilité.

---

7. Traduction du créole: «Si le Bon Dieu a décidé qu'elle meure, que Sa volonté soit faite.»

— Mais pourquoi donc? Elle semble avoir été si présente pour son enfant! s'indigna Chloé.

— Eh bien, elle a dû finalement se résoudre à la placer en institution, et puis il y a eu tant de décisions médicales à prendre. C'était chaque fois le même tiraillement: soulager la petite lui prescrivait toujours d'autres douleurs…

— Et maintenant, ça ne vous apaise pas de savoir que la fin est proche? s'enquit la jeune femme.

— Ce serait logique, c'est ce que pensent les gens. Personne imagine qu'on a de la peine de perdre un bébé ou un enfant handicapé! Mais moi, madame, je perds quand même ma petite-fille. *Ma* Laurie, vous comprenez? Ma *pitit pitit mwen* [8]…

La grosse femme s'interrompit pour se moucher. Elle leva le menton au-dessus des étages de colliers qui se lovaient autour de son cou pour se repérer en étudiant le paysage à travers la buée des vitres de l'autobus.

— Je suis désolée de vous avoir fait pleurer, s'excusa Chloé, qui pressentait la fin de la conversation.

— Oh non, ne soyez pas désolée. Vous m'avez permis de pleurer, c'est pas pareil. Ça fait du bien de pouvoir parler de ma belle Malaurie. Des fois, je me disais qu'il aurait mieux valu que la petite suive le chemin de sa sœur – y a-t-il un plus bel endroit pour mourir que le ventre de sa maman? –, mais je comprends que ma petite-fille m'aura apporté un incroyable cadeau.

---

8. Traduction du créole: «Petite-fille.»

La dame se leva malaisément, agrippa d'une main un poteau pour stabiliser son pas et, de l'autre, la cordelette pour demander que l'autobus s'immobilise au prochain arrêt.

— Quel cadeau ? voulut savoir Olivier.

— C'est pas donné à tous les parents de constater qu'on a bien préparé son enfant à la vie. Veut veut pas, c'est notre boulot de parents d'apprendre à un enfant à affronter des difficultés. Moi, grâce à Malaurie, je sais que j'ai fait une fille solide !

Elle sourit fièrement avant de reprendre :

— Vu que je m'en vais déjà dire au revoir, je vous salue pas, mais vous souhaite bonne chance.

La femme s'approcha de la porte vitrée de l'autobus. Épuisée par la station debout, sentant ses chairs malmenées par la gravité, Chloé ne résista pas à l'envie de se glisser sur le banc que l'Haïtienne laissait vacant. Avant de descendre, celle-ci se retourna une dernière fois.

— C'est très bien que vous preniez ma place : comme ça, elle sera complètement sèche pour la prochaine grand-mère qui, elle, aura toujours sa bonne étoile, dit-elle d'un air satisfait avant de laisser Chloé rognonner contre elle-même.

Le célébrant avait proposé à son ouaille de prendre le métro pour revenir sur leurs pas. Les arrêts répétés de la rame et le bruit ambiant n'étaient pas propices aux échanges, et ils avaient préféré demeurer silencieux le long du trajet souterrain. Chloé se doutait qu'ils ruminaient tous deux les paroles de la dame croisée lors de leur déplacement en autobus. Le retour à la surface ramena l'atmosphère particulière de partage qu'ils connaissaient depuis le matin.

— Qu'est-ce que tu retiens de l'expérience de cette femme ? demanda directement Olivier.

— Je suis surprise. Je ne croyais pas que le parent d'un enfant survivant avait aussi à faire un deuil. Je suppose que j'aurais eu à vivre quelque chose de semblable si nous avions choisi de poursuivre la grossesse.

— Regarde les choses en face, Chloé : tu es fâchée d'avoir été contrainte à prendre une décision qu'Antoni et toi ne vouliez pas prendre. Voilà le deuil que tu vis, celui d'une grossesse heureuse sans complications. Par contre, tu dois voir encore une autre chose : réalises-tu que cette décision que vous avez affrontée une fois, la mère de Malaurie s'y est confrontée à maintes reprises ?

— Non, pas vraiment.

— Visualise la scène : une enfant grandit avec des atteintes à ses organes vitaux, elle souffre et les médecins s'accordent pour prescrire de la morphine. On peut très bien imaginer que l'état de la petite ne va pas en s'améliorant et qu'il faille augmenter progressivement la dose. Le hic, c'est que cela affecte les capacités respiratoires de l'enfant, la condamnant. Vois-tu que le dilemme des parents est le même que le vôtre ?

— Oh… et combien de fois répété…

— Et au bout du compte, ils pleureront comme vous leur enfant.

— Mais leur deuil aura duré plus de dix ans. Et moi qui croyais que je vivais le pire !

— Attention, c'est délicat de comparer sa douleur. Ça ne doit pas avoir d'autre but que de dénouer le ressentiment que l'on vit.

— Mais moi, j'étais juste fâchée...

— Non, Chloé, rectifia Olivier, tu étais convaincue que ce qui vous arrivait était injuste et tu voulais pour ça t'en prendre à tout le monde, même à Dieu. Ça, c'est du ressentiment, et ça te rancit le cœur.

— Mais je ne sais pas comment vivre autrement les choses ! lança Chloé, exaspérée.

— Bien..., commença Olivier, quelque peu mal à l'aise, je sais que l'enseignement catholique a statué que la colère était l'un des sept péchés capitaux, mais elle vaut mieux par sa spontanéité que l'amertume qui fermente et brouille l'esprit. Trouve la paix, Chloé...

— Je n'ai jamais été douée à la cachette...

Ils arrivaient devant le logement d'Olivier. Chloé ne détachait pas son regard du bout de ses souliers.

— Vous avez voulu lui redonner sa liberté, à votre bébé ? Eh bien, préparez-lui la plus belle des cérémonies d'adieu. En général, on trouve beaucoup de calme par les rituels.

— Antoni aurait aimé que le baptême soit offert à Théo.

— Tu sais, Chloé, Théo n'a pas besoin de ce sacrement pour être accueilli au ciel : il est déjà le fils de Dieu, le baptême n'est une consécration qu'aux yeux des hommes.

— Je croyais qu'il irait dans les limbes parce qu'il n'a pas été lavé du péché originel, s'étonna Chloé.

— Ah, oublie les limbes ! Le concept a été supprimé de la théologie en 2007 par Benoît XVI, alors…

— Comment ça, « supprimé de la théologie » ? Olivier, comment veux-tu que l'on prête foi à des histoires qui donnent l'air d'être racontées pour aider les enfants à s'endormir ?

— Chloé, je sais. Rappelle-toi ce que je te disais de la spiritualité. L'idée est là : tu as justement besoin d'endormir ta peine, et c'est mon rôle de t'aider à trouver le moyen de le faire, puisqu'il n'est pas question que tu oublies Théo ou que tu ne sois plus jamais triste de sa mort.

— Alors quoi ?

— Alors, on va faire un baptême. Un baptême d'intention.

— Un baptême qui n'en est pas réellement un ?

— L'ondoiement est canoniquement valide, mais pas… réglementaire dans votre situation. Le baptême d'intention est une effusion d'eau bénite à laquelle j'ajouterai le linge blanc et le cierge de baptême.

— C'est une entorse à la règle, non ?

— Comme celle que la vie vous a fait subir. C'est justice.

Chloé sourit franchement.

— Olivier, si on m'avait décrit le Bon Dieu comme toi au lieu de le faire tout-puissant, j'y aurais cru.

Elle monta dans sa voiture, le cancer dans son cœur pour un moment anesthésié, et pensa à retrouver Antoni dare-dare.

CHAPITRE 3

LE JEUNE MÉDECIN
ET LA CULPABILITÉ

Chloé avait profité de l'absence éclair de la secrétaire de l'accueil pour se faufiler dans le corridor où s'alignaient les bureaux des médecins. Étonnamment, elle ne croisa personne là non plus. « On est vendredi », se rappela-t-elle, supposant du coup que chaque heure de l'après-midi voyait une grappe de travailleurs partir pour le week-end. Elle cogna au chambranle d'une porte entrouverte et, en entendant un « Oui ? » poli mais contraint, elle poussa le battant et passa la tête dans l'embrasure.

— Docteur Sauvé ?

— Je peux vous aider ? s'informa le jeune médecin alors qu'il retirait sa blouse blanche et planifiait, à l'évidence, de quitter incessamment son bureau.

Sans le vêtement qui l'identifiait au corps médical, le Dr Sauvé ressemblait à ces étudiants universitaires qui n'ont de confortable que le style, tiraillés entre une pauvreté de temps et de liqui-dités : les traits de la jeunesse, les cheveux incultes, une paire de lunettes bleu-noir de pair avec un jeans bleu nuit, des chaussures de sport à la mode.

— Je m'appelle Chloé Collard. Nous nous sommes rencontrés la semaine dernière.

Le jeune homme la dévisagea.

— Je me souviens de vous, naturellement. Vous êtes l'Opticienne.

Chloé sourit à cette évocation. Lors de la visite postpartum, notant l'originalité des lunettes qu'ils portaient tous deux, Antoni et elle, le Dr Sauvé avait cru avoir affaire à deux opticiens. La méprise avait été prétexte, pour quelques précieuses minutes, à badiner avec le médecin.

— Est-ce qu'il y a un problème ? s'inquiéta-t-il.

— Oui et non, répondit vaguement Chloé. Je vais bien, mais j'avais des questions.

Le jeune médecin échappa un coup d'œil à l'horloge murale, sur laquelle la petite sœur de la grande aiguille avait glissé jusqu'au chiffre quatre. Chloé le sentait hésitant.

— Je n'avais pas prévu une consultation à cette heure-ci, je pourrais vous voir dès lundi, offrit-il.

— Je sais que je débarque à l'improviste, mais un courriel n'aurait pas été approprié, et mon questionnement peut être résolu en peu de temps, je pense.

— Écoutez, je n'étais pas seul lors de votre intervention. Vous devez être au courant que je suis en formation. Si vous vous rappelez, j'étais sous la supervision de la Dre Trudel lors de la procédure médicale. Elle pourrait aussi bien que moi répondre à vos interrogations, vous savez.

— Est-ce elle ou vous qui avez fait l'interruption ?

Le médecin soupira, ne dissimulant pas son malaise.

— Comprenez-moi bien, madame Collard, je ne tente pas d'esquiver vos questions – bien au contraire –, mais je dois composer avec une réelle contrainte de temps. Y a-t-il une raison particulière pour laquelle vous ne voudriez pas les poser à ma superviseure?

Chloé prit un air gêné.

— J'ai simplement cru que vous auriez plus de temps pour moi du fait que vous êtes résident.

Le Dr Sauvé eut un haussement de sourcils étonné.

— Je ne suis pas médecin résident, je complète une surspécialité. Et avec mes quatre-vingt-deux heures de disponibilité par semaine à l'hôpital, les cours à donner et l'étude que me demande la préparation des examens pour le Collège royal, je ne vois pas ce qui vous a menée à cette conclusion, ironisa-t-il. Autant en venir au fait.

— J'ai souvenance qu'il y a eu un malaise lors de l'intervention. Je tenais à en connaître les détails. Et… et j'ai besoin de savoir avant demain.

Le jeune praticien fixait le plancher, absorbé, réfléchissant aux alternatives qui ne semblaient pas faire foule.

— Voici ce que je vous propose. C'est clairement inhabituel… Je veux dire… vous êtes en droit de refuser, bien entendu : vous aviez sans doute besoin de moins de quinze minutes, je peux vous en proposer trente… si vous acceptez de m'accompagner en voiture. Je dois me rendre au campus de Longueuil où j'ai cours. Vous faites le trajet avec moi et vous pouvez revenir en métro. C'est insolite comme façon de faire, mais c'est ce que je peux vous offrir de mieux dans les circonstances.

— Avez-vous besoin de ma carte-soleil?

— Je ne conduis pas si mal, ne craignez rien.

Le Dr Sauvé lui désigna la porte, qu'il referma aussitôt derrière eux, et ils prirent promptement le chemin de l'ascenseur.

Ils étaient en direction de l'autoroute, immobilisés au premier feu rouge, et Chloé, assise du côté passager, ne savait trop comment placer ses jambes – plus par nervosité que par manque d'espace. Elle était consciente que le cadre de la consultation n'était pas conventionnel, signe que le jeune médecin avait jugé impératif de répondre dans l'instant à sa requête; nul doute qu'il devait être habitué aux lubies des parents dépouillés par la vie, sans toutefois les sous-estimer. Dans l'immédiat, l'obsession de Chloé se résumait à comprendre l'historique dont avaient découlé les circonstances du décès de Théo.

L'arrière de la voiture était jonché d'objets hétéroclites (une quantité impressionnante de polycopiés, une poignée de crayons, deux gobelets de café vides, quelques emballages de barres énergisantes, un balai à neige, des tickets de caisse en tous genres) qui témoignaient du rythme de vie effréné du jeune professionnel. Chloé regardait partout pour ne pas se voir.

— C'est une belle voiture, dit-elle pour amorcer la discussion.

— C'est celle de ma copine, répondit le docteur. J'ai trente ans, vingt-cinq ans de scolarité, j'en suis à ma deuxième année de *fellowship*[9] en grossesses à risques. Voilà. Je doute que vous ayez d'autres questions d'ordre personnel à me poser. Venons-en à vous.

— Très bien, dit Chloé pour gagner quelques secondes.

Elle se sentait parachutée dans la discussion, mais elle n'avait pas laissé grand choix au jeune médecin, qui reprenait maintenant le contrôle de l'échange. Si elle préférait être ménagée, c'était à elle de présenter autrement ses demandes.

— Je voudrais comprendre l'origine du malaise entourant mon IMG. Je sais que c'était une procédure nécessaire, je sais que mon bébé avait des atteintes. Ce n'est pas ce que j'ai besoin de me faire redire et, comprenez-moi, je ne suis pas là non plus pour lancer des tomates ou laver ma conscience.

— Vous ne saisissez pas pourquoi vous n'avez pas été confrontée à ce choix au deuxième trimestre, si je comprends bien.

— Peut-être… Voyez-vous, quand on sait qu'une grossesse sur quatre n'arrive pas à terme, avec de telles statistiques en tête, on se refuse à vivre sempiternellement dans la peur. On préfère se raisonner et éviter de s'attacher jusqu'à ce que la grossesse atteigne vingt-quatre semaines.

— Vous faites référence au seuil de viabilité ?

— Oui. Ce n'est pas ça ?

La voiture délaissait maintenant la voie de service pour l'autoroute.

---

9. Surspécialité médicale qui succède au résidanat des médecins spécialistes.

— C'est un standard médical – permettez que je fasse abstraction du point de vue éthique. Le concept de viabilité est mouvant, il n'est pas uniquement tributaire du nombre de semaines de grossesse.

— Parce qu'il est variable en fonction des lois de chaque pays ?

— Pas tout à fait. Il dépend surtout de l'offre en matière de médecine périnatale. Dans les milieux où les ressources le permettent, on peut abaisser le seuil de réanimation à vingt-deux semaines, par exemple.

— Vous disiez qu'il n'était pas seulement question du nombre de semaines…

— La néonatalogie doit aussi tenir compte du poids du fœtus.

— Je comprends. Quel lien cela a-t-il avec les interruptions de grossesse ?

— Passé le seuil de viabilité, interrompre la grossesse cause un plus grand malaise – du moins en Amérique du Nord.

— Mais l'avortement est légal au Canada pendant toute la durée de la gestation, non ?

— En effet, aux yeux de la loi, je ne suis pas plus criminel que vous…

— Pour ce que vous savez de moi.

— Madame Collard, je suis votre médecin, pas votre directeur de conscience.

— Pourtant, il semble que, dans de rares cas, vous ayez à porter les deux chapeaux.

— C'est vrai, s'étonna-t-il. Les avortements thérapeutiques – comme celui que vous avez été contrainte de subir – soulèvent plusieurs débats, même si, juridiquement, la Cour suprême a tranché la question.

— Ce qui me dérange, c'est qu'à partir de vingt-quatre semaines – ou du seuil de viabilité, comme vous dites –, je pensais que mon bébé avait des droits. Tout au contraire, il n'a même pas eu droit à un certificat de décès.

— Oh, pour ce que j'en sais, le fœtus a des droits civils et administratifs, mais selon le Code criminel, même s'il est viable, il n'a pas de personnalité juridique. Par conséquent, il ne jouit pas du droit à la vie, à la liberté et à la sécurité comme stipulé dans la Charte des droits et libertés de la *personne*.

— Ça me semble tellement contradictoire avec l'image d'une femme enceinte qui porte la vie, constata Chloé.

— En fait, c'est pour la protéger, elle, que la loi sur l'avortement a pu être jugée contraire aux droits de la personne.

— En se basant sur quoi ? Je ne vois pas.

— Pour respecter son intégrité corporelle, pour ne pas la forcer à mener à terme une grossesse à laquelle elle se refuserait.

— Vu comme ça...

Chloé marqua une pause, assimilant les dernières informations.

— Je ne vois toujours pas le lien avec mon IMG...

— Pour vous expliquer sans vous donner l'impression que je repasse mon examen de déontologie, honnêtement... il va me falloir un café !

Le Dr Sauvé actionna le clignotant et déboîta pour emprunter la prochaine bretelle de sortie.

— Vous n'allez pas vous mettre en retard à votre cours ? s'inquiéta Chloé.

— Je calcule toujours une bonne marge pour traverser les ponts. Comme la circulation semble avoir un bon débit ce soir, je prends le risque d'arrêter cinq minutes. De toute façon, ils devront bien m'attendre, c'est moi le prof !

Ils faisaient la file pour commander leurs consommations dans l'une de ces franchises qui bourgeonnaient le long des branches d'autoroutes. Chloé s'était sentie trop fatiguée pour accompagner Antoni et ses parents, partis prendre les arrangements nécessaires au restaurant où ils allaient recevoir famille et amis après les obsèques du lendemain. Les derniers détails à régler ne lui importaient pas autant que cette discussion avec le jeune médecin.

— Vous prenez quoi ? demanda le Dr Sauvé.

— Quelque chose de fort.

— Un moka pour madame, commanda-t-il à la caissière.

— Quand on connaît l'histoire du café et du cacao, on ne boit plus aussi goulûment les chocolats chauds et les cappuccinos. On apprend à les déguster, remarqua Chloé.

— Je ne suis pas certain que vous vivrez un si grand contentement à connaître celle des IMG. La plupart des parents préfèrent ne pas savoir pour réduire leur sentiment de responsabilité.

— C'est pour cette raison qu'un voile blanc nous dissimule l'intervention ?

— Ce n'est pas mon avis, et j'espère qu'il n'en est rien.

— Que cherche-t-on à cacher, alors ?

— Rien, justement ! assura le praticien. Il est bien plus question d'épargner à la patiente le stress découlant du matériel médical : la vue des aiguilles qu'on utilise impressionne, croyez-moi... Vous auriez aimé quitter la salle en imputant le trépas du bébé à l'équipe médicale ?

— J'aurais effectivement pu penser n'avoir rien à voir avec cette mort et continuer de croire que j'étais celle qui devait donner la vie, mais je ne suis pas une autruche, docteur. Ce serait une illusion que de blâmer autrui.

— Sincèrement, je croyais que c'était pour cette raison que vous étiez débarquée dans mon bureau, admit le médecin, un brin gêné.

— Mon conjoint et moi avons *verbalisé* une demande d'IMG. Nous ne nous cachons pas le rôle que nous avons joué dans les événements.

Le Dr Sauvé récupéra les cafés et ils marchèrent jusqu'à sa voiture.

— Ce n'est pas ce que j'ai voulu dire. Plusieurs parents sont soulagés de croire que la responsabilité est partagée – et je vous confirme qu'elle l'est, précisa le jeune homme, la nuque un peu raide. Dans l'ensemble du processus, ils comptent sur la législation du pays (et celle de la province), les politiques de l'hôpital par l'entremise de ses comités éthiques, l'avis du centre de diagnostic prénatal qui travaille en pluridisciplinarité, puis l'obstétricien et son équipe, qui accomplissent le geste ultime. Ça fait beaucoup de monde, et tous ces gens issus de différents échelons ont accepté la réalisation de l'IMG. Seulement, celle-ci ne peut se faire qu'à la demande des parents ou de la mère.

— Si la loi permet tout, je conçois plus ou moins la responsabilité de l'hôpital et ce qu'il y a de soulageant pour les parents.

— Vous n'êtes pas sérieuse quand vous dites ça ?

Le Dr Sauvé s'était immobilisé, les clés à la main, fixant sa patiente entre les deux gobelets de café posés sur le toit de la voiture. Des gens allaient et venaient autour de leur discussion, et Chloé se demanda, une fraction de seconde, s'il ne fallait pas baisser le ton. Même une conversation sur la vidange des glandes annales d'un animal domestique choquait moins en mangeant un beigne que la mort commandée d'un bébé ! Le besoin de se justifier l'emporta.

— C'est vous qui m'avez confirmé qu'une femme pouvait avorter légalement à n'importe quel moment de sa grossesse !

— Quand la motivation est de nature *médicale*.

— Je vois.

Dans la voiture, Chloé resta silencieuse, se réchauffant les mains sur le gobelet de carton. Le jeune médecin se concentra un temps sur la route, jusqu'à réintégrer une place confortable dans la circulation densifiée de l'autoroute.

— J'ai eu vent, commença Chloé, que des femmes enceintes ayant une peur morbide de la douleur pouvaient obtenir une césarienne sans raison médicale *physique*, qu'en fait, lorsque la peur est telle qu'elle peut gêner l'attachement maternel, la cause *psychologique* devient alors une raison suffisante, une raison médicale. De tels cas d'ordre mental doivent exister aussi pour les avortements, non ?

— Comprenez-vous mieux la responsabilité de l'hôpital ? C'est au milieu médical qu'il incombe d'autoriser l'avortement.

— Mais alors, l'avortement devrait être reconnu comme un acte médical.

— C'est le cas.

— Et vous êtes d'accord avec ça ?

— L'Association des obstétriciens et des gynécologues a émis des avis en ce sens, oui.

— Je voulais dire, vous, personnellement. À quoi pensez-vous quand vous êtes face au moniteur ? Que vous vous apprêtez à détruire un matériau biologique ou à supprimer une personne potentielle ?

Sans prévenir, le Dr Sauvé décida de changer de voie, mit le clignotant après avoir braqué les roues. Un violent coup de klaxon retentit ; Chloé renversa son café quand un coup sec ramena la voiture sur sa voie initiale.

— Je suis désolé, dit-il, sans plus.

— Pour la manœuvre ou pour l'interruption ?

— Ce que vous préférez.

— Est-ce que j'ai été maladroite ?

— Non. Je cherchais à saisir… ce que vous attendiez de cette discussion. Vous avez accepté de monter en voiture avec moi pour mieux comprendre un point sur l'IMG, mais vos questions conservent un ton accusateur.

— Je suis vraiment désolée. J'ai perdu de vue que vous pouviez également être sensible à tout ce qu'implique l'IMG.

— Je ne crois pas, dit franchement le jeune homme, un bref regard vers sa passagère. Je pense que c'est plutôt ce que vous tâchiez d'évaluer.

Un moment, Chloé ne dit plus rien.

— Vous avez sans doute raison, finit-elle par admettre.

— Faites simplement attention de ne pas chercher de la compassion auprès de la mauvaise personne. Vous vous feriez plus de mal que de bien.

Chloé hocha la tête, non sans serrer les lèvres.

— Je peux quand même vous assurer qu'on ne standardise pas les interventions. Mais on ne se remet pas en question à chaque cas non plus, madame Collard.

— La Dre Trudel dirait-elle la même chose, à votre avis ?

— Pourquoi demandez-vous ça ?

— Parce que ça doit être plus délicat pour les femmes médecins, suggéra Chloé.

— Et pas autant pour les hommes médecins ? rétorqua le Dr Sauvé.

— Eh bien, bafouilla Chloé, confuse d'avoir tenu un propos sexiste, je pense que les femmes médecins sont davantage amenées à vivre des situations antagoniques, par exemple si elles sont elles-mêmes enceintes.

— Madame Collard, je serais d'accord avec vous si on parlait des femmes qui ont fait le choix de pratiquer la médecine familiale ou même la gynécologie. Ce n'est pas le cas de celles qui se sont spécialisées pour travailler auprès des patientes des cliniques GARE.

— Je sais ce que sont les cliniques GARE, mais…

— C'est l'acronyme pour désigner les grossesses à risques élevés. Si, depuis la nuit des temps, 95 % des grossesses se déroulent bien, ces femmes médecins savaient sciemment que leur spécialité les destinait à suivre les 5 % restants qui présentent des complications.

— Et si leur grossesse donnait à ces femmes une sensibilité qu'elles n'avaient pas au départ ?

— Ne les sous-estimez pas. Vous présumez que leur motif d'accéder aux demandes d'IMG est basé sur l'affectivité. Sans vouloir vous brusquer, il ne faudrait pas tomber dans la projection. Non, sincèrement, ces femmes médecins pas plus que les hommes ne remettent si facilement en question leurs convictions, je vous le répète.

— Je vous avoue que j'ai de la difficulté à le concevoir.

— Pensez que la profession se féminise. Si ces femmes n'avaient pas la certitude qu'elles rendent service aux parents et à la société, elles se destineraient à d'autres spécialités.

— Le comble, ce serait une femme médecin enceinte qui interrompt une grossesse aussi avancée que la sienne…

— Je l'ai déjà vu et, je vous assure, homme ou femme, le médecin trouve bien plus obscène d'interrompre à vingt semaines la grossesse en santé d'une femme qui n'en veut plus que de réaliser une IMG à trente-sept semaines quand le bébé est malformé.

Chloé prit le mot du médecin pour elle.

— Mon bébé était beau, vous savez, il n'était pas *malformé*…

— Toutes mes excuses. Ce n'est pas ce que je sous-entendais. Vous aurez compris que je parlais d'un bébé qui présenterait des atteintes.

— Tout le monde ne doit pas voir les choses de la même façon, même au sein des équipes médicales, non ?

— C'est un fait qu'il peut y avoir des tensions. J'ai constaté un important roulement des infirmiers comme des spécialistes. Ils ne sont pas sans craindre d'être qualifiés d'avorteurs par leurs collègues, surtout ceux d'autres spécialités.

— Je n'avais aucune idée de cette réalité, dit Chloé, abasourdie.

— Le comité de bioéthique de l'hôpital encourage tous les intervenants à verbaliser leur inconfort, s'il y a lieu, voire à se retirer de l'équipe, mais dans les faits, ce n'est pas toujours possible, et il arrive que les intervenants eux-mêmes aient à solliciter un soutien psychologique.

Alors que certains de ses souvenirs étaient d'une clarté blessante, Chloé n'arrivait pas à se remémorer les visages des gens qui l'avaient accompagnée durant l'intervention. Elle doutait que ce soit différent pour Antoni. « Il semble que la mémoire soit une des facultés durement éprouvées par les grandes émotions », raisonna-t-elle.

— Au moment de l'intervention, j'étais tellement rossée par les événements que je n'ai eu aucune pensée à l'égard de l'équipe médicale, fit Chloé, contrite.

— C'est compréhensible. Comme patiente, vous n'avez pas à être au courant de tout, non plus.

— Il faut dire que vous travaillez dans un hôpital spécialisé. Est-ce que sur la question des IMG, les autres hôpitaux font face aux mêmes défis ?

— À quoi cela vous sert-il de le savoir ? demanda le Dr Sauvé sans détour.

— Dans le malheur, on se sent seul. Je suis sûre que j'ai tort d'imaginer que mon cas est unique.

Le jeune médecin regarda sa patiente. Il la trouva calme, et elle lui sembla disposée à faire la part des choses.

— Unique, non. Rare, certainement.

Le praticien se réfugia quelques instants dans le rôle du conducteur. Il effectua un changement de voie qui, cette fois, se fit tout en douceur. Ils dépassèrent une voiture dans laquelle deux grands ados monopolisaient la banquette arrière. Les cheveux grimpés en crête de coq, écouteurs sur les oreilles, ils étaient beaux, pensa Chloé, malgré leur air ennuyé par la monotonie de la route. Elle eut la vision de ces jeunes hommes jouant dans un *band* en même temps qu'un pincement au cœur en songeant qu'elle ne connaîtrait pas cette fierté de voir son fils développer une passion, pas plus que le déplaisir de ramasser ses bas sales. Des monticules de bas crasseux lui semblaient pourtant, à cet instant-là, tellement préférables au néant…

Elle se secoua et eut le réflexe de regarder l'heure sur le tableau de bord. Le trajet lui paraissait plus long qu'elle ne l'aurait voulu. Comme ces conversations avec des connaissances desquelles on

a un jour été proche, mais que la distance déna-
ture et condamne aux légèretés. Pour retrouver une
mince plage de confidences, c'est comme s'il fallait
accepter d'épuiser une mer de peccadilles. Chloé
n'avait jamais été proche du jeune médecin, qu'elle
connaissait à peine, mais le côte à côte caractéristique d'un déplacement en voiture devait être propice à la franchise qu'elle recherchait. Elle décida
de se lancer.

— Docteur…, commença Chloé.

— Vous me demandiez à quoi je songeais
lorsque j'étais dans une équipe pour une IMG.
Eh bien… je songe à bien faire mon travail.

— C'est tout ? s'étonna Chloé, oubliant qu'elle
venait d'être interrompue.

— Vous vous attendiez à quoi ? À un traité de
philosophie ?

Chloé regrettait sa réaction, qu'elle jugeait maintenant trop spontanée.

— Pas à une thèse, mais… C'est que votre pratique soulève tant de casse-têtes moraux qu'on
aurait imaginé des pensées témoignant de plus
de… de profondeur, avança Chloé.

La jeune femme vit le médecin sourire. S'était-
elle montrée naïve ? À ses doigts qui pianotaient
sur le volant, elle pouvait dire qu'il réfléchissait à la
meilleure approche pour lui formuler une réponse
dont la finesse résulterait du juste équilibre entre
la sincérité et la sensibilité.

— Je ne veux pas vous choquer, commença-t-il,
mais honnêtement, c'est au moment de choisir ma
surspécialité que j'ai eu ces débats pour moi-même
et que je me suis positionné. Du coup, le geste

médical que j'accomplis fait quand même partie de mon rituel de travail.

— Je le conçois. Je devrais plutôt vous demander, alors, ce qui rend acceptable à vos yeux la réalisation des IMG…

— Ce n'est pas idéal que la pratique des médecins ait à tenir compte du manque de ressources dans le système de santé, notamment dans les services dispensés aux enfants handicapés. Malgré ça, je me dis souvent que l'argent épargné en évitant, grâce au diagnostic, de donner naissance à un enfant handicapé peut venir en aide à d'autres enfants. Bref, je me focalise sur une attitude responsable.

— C'est plus facile quand ni son enfant ni son argent ne sont en jeu, objecta Chloé.

Le jeune médecin se fâcha, trahissant une certaine fragilité – corollaire de la jeunesse et de l'inexpérience – même s'il affichait une belle assurance.

— Vous m'avez demandé d'être honnête !

— Je ne m'attendais pas à un argument économique.

— Il me semble qu'il n'y en a pas de mauvais quand c'est pour répondre à la demande des parents !

— Nous n'avions pas le choix !

— Bien sûr que vous aviez le choix, la contredit vertement le Dr Sauvé. C'est la politique de l'hôpital de vous exposer toutes les possibilités. On vous a à coup sûr offert d'attendre la naissance pour refaire un bilan de santé, d'organiser des soins palliatifs ou de consentir à donner le bébé en adoption.

— Aucune des options n'était acceptable ! Ce n'est pas notre faute si vous, les médecins, trouvez constamment de nouvelles méthodes d'investigation, mais que tout stagne quand il s'agit de proposer des solutions curatives ! Vous étiez douze pis vingt à nous détailler les atteintes de notre bébé, mais pas un ne s'est levé pour nous informer des traitements éventuels.

— C'est un reproche ?

— Qu'allez-vous penser ? C'est de l'exaspération !

— À l'égard des services de l'hôpital ?

— À l'égard de votre science ! Jamais je ne me suis doutée des conséquences qui découleraient de cette échographie à trente-deux semaines. Pour moi, il s'agissait d'un rendez-vous privilégié, du genre de ceux qu'on entoure de fleurs dans son agenda. J'avais oublié tout l'aspect médical ; j'avais oublié que voir, c'est accepter d'office de savoir. Et il y a là une cruelle incohérence quand, à partir du moment où l'on sait, il n'existe pas d'entre-deux, pas de solution au problème qu'on met pourtant ce qui me semble une vie à documenter !

— C'est que dans les situations d'anomalie chromosomique…

— Je sais trop bien ce que vous allez me dire ! Aucun traitement n'existe. On trouvera peut-être un dénouement au cours du troisième millénaire, mais en attendant, c'est *mon* bébé qu'on a condamné ! On peut bien repousser toutes les frontières du diagnostic prénatal, de la médecine fœtale et de la réanimation néonatale, certains ne voudront jamais voir que ce sont précisément ces progrès technologiques qui génèrent tous vos dilemmes éthiques! En étant moins interventionnistes, vous ne courriez pas après les ennuis! Personne n'a pensé à nous parler d'IMG *avant* que la situation ne soit désespérée?

Chloé s'interrompit, essoufflée. Quelle idée d'avoir accepté de discuter d'un tel sujet en voiture! C'est connu, il y a des questions qu'il vaut mieux éviter dans le contexte d'un habitacle qui n'offre aucune retraite. Et elle qui croyait ce lieu propice aux confidences!

D'un autre côté, Chloé se rappelait l'exiguïté des bureaux de l'hôpital où on leur avait présenté le bilan médical de Théo. Parfois, malgré ce que peut vous hurler l'instinct, vous ne pouvez pas vous dérober. Elle devait conserver à l'esprit qu'elle avait voulu savoir. Le jeune praticien se tut un temps, la laissant remettre de l'ordre dans ses idées.

— Madame Collard, êtes-vous d'avis, alors, que la pratique des IMG est une négation de la mission d'un hôpital? Auriez-vous préféré ne jamais en entendre parler de votre vie?

— Non, souffrit Chloé.

— L'IMG doit vous apparaître comme une réponse médicale appropriée dans certains cas.

— Précisément le mien, s'affligea-t-elle.

— J'en suis arrivé à la même conclusion – on ne peut pas pratiquer sans se questionner, sachez-le.

— Surtout en début de carrière.

— Excusez-moi?

— Ce n'était pas une critique, docteur, bien au contraire.

— Mais vous avez raison. J'aurais dû parler en termes de «qualité de vie» plutôt que de ressources.

— Ça me parle plus, en effet. Surtout dans le contexte de soins palliatifs.

— C'est un fait que le milieu médical mobilise de plus en plus de ressources pour offrir ce service adapté aux enfants, mais peu de gens ont conscience du tourment vécu par les parents face à l'agonie de leur bébé. À ce compte-là, je trouve justifié de se demander si l'IMG est à ce point odieuse… En tant qu'être humain, assister à l'agonie ou à la souffrance sans intervenir est intolérable.

— Peu importe comment je retourne la question, je reste avec un arrière-goût amer. En troquant les soins palliatifs contre l'IMG, j'ai l'impression d'avoir échangé quatre trente-sous contre une piastre. Tout n'aurait pas été plus simple si…

— Oui, bien sûr, vous vous demandiez pourquoi votre IMG n'avait pas eu lieu au deuxième trimestre. Vous avez mis le doigt sur l'une des problématiques, en fait. Je crois que c'est parce que les connaissances médicales sont meilleures qu'on dépiste les atteintes fœtales, mais c'est aussi parce qu'elles sont encore limitées qu'on doit se résoudre aux IMG.

Le simple fait que le médecin n'ait pas eu le réflexe de défendre bec et ongles sa discipline suffit à calmer la bile de Chloé.

— Croyez-vous que viendra une époque où les parents n'auront plus à être confrontés à l'IMG, docteur ? demanda-t-elle tout en regardant dehors pour dissimuler un sentimentalisme dont elle ne voulait pas.

— L'histoire naturelle de l'humanité est ainsi faite.

— Je ne saisis pas à quoi vous faites référence.

— Peu importe la qualité d'investigation que la science mettra au point, certaines affections n'apparaîtront toujours qu'à la fin de la grossesse : c'est ainsi qu'est programmée la formation du fœtus. Par exemple, la fonctionnalité du cerveau, du cœur et des reins se développe plus tardivement.

— Autrement dit, on ne sait pas de quoi sera fait demain.

— En effet.

— Il y aura donc toujours des IMG, se désola Chloé.

Ils atteignaient le faîte du pont jeté au-dessus du fleuve Saint-Laurent. La vue dans le soleil de mai méritait quelques secondes de silencieuse contemplation. Chloé ouvrit la vitre de la voiture et donna à sa main la liberté que son cœur n'avait pas, laissant flotter dans la résistance de l'air des gestes insouciants et codés comme un langage muet. Le vacarme du vent imposait à leur discussion au sommet un intermède qui laissa respirer la jeune femme.

Chloé remonta la vitre et se tourna vers le jeune médecin.

— Je reviens sur la question du malaise…

— Une part s'explique par le débat visant à déterminer le moment où la vie devient humaine. Historiquement, le principe reposait sur une question de mobilité : dès que la mère devinait les premiers mouvements du bébé, un avortement n'était éthiquement plus acceptable.

— C'est une frontière tellement arbitraire, s'offusqua Chloé. La sensibilité des mères ne se compare pas entre le premier enfant et le deuxième.

— Les grandes religions ont voulu se positionner.

— Je m'en doutais, dit Chloé, qui avait encore en mémoire ses échanges animés avec Olivier le Célébrant, quelques heures plus tôt.

— Les ministres du culte se sont interrogés sur le début de la vraie vie. Pour établir sa ligne de conduite, le comité éthique de l'hôpital a interviewé sur la question un prêtre, un pasteur, un imam et un rabbin.

— Leurs points de vue divergeaient-ils grandement?

— Le prêtre et l'imam fixaient la frontière dès la création d'une nouvelle cellule, alors que le pasteur parlait davantage du moment où la réanimation est possible.

— Et le rabbin?

— Il estimait le début de la vraie vie autour de trente ans, quand l'enfant jouit d'une situation professionnelle convenable et est en mesure de quitter la maison de ses parents.

L'œil malicieux, le jeune *fellow* surveillait la réaction de son interlocutrice, qui n'eut d'autre choix que de rire, n'ayant pas flairé le canular avant sa chute.

— Sans blague, la vie étant souvent perçue comme un don divin, je présume que la majorité des mouvements religieux rejette l'IMG.

— C'est ce qu'il semble. Il n'y a à proprement parler que le courant protestant libéral qui donne son aval à ses adeptes sous le motif du libre arbitre.

— Les philosophes ne sont-ils pas plus neutres?

— Objectifs?

— Si vous voulez.

— Il y a là aussi différentes écoles. Les plus conservatrices parlent d'existence d'une personne humaine à l'apparition du zygote.

— Faites plus simple, docteur, mes cours de biologie remontent à près de vingt ans…

— Disons au moment de l'implantation – après la fécondation –, qui marque le début de l'individualisation.

— On est loin du seuil de vingt-quatre semaines !

— Imaginez ceux qui préconisent que l'on se base sur le début de l'activité cérébrale.

— Si vous voulez mon avis, on peut attendre plusieurs années pour certains, maugréa Chloé.

— Étonnamment, on en trouve toujours quelques individus sur les routes, renchérit le jeune homme en donnant un royal coup de klaxon à l'intention du chauffard qui les précédait.

Ils avaient dépassé la cohue du pont qui déversait ses usagers dans toutes les directions de ses embranchements. Filant à présent à vive allure sur la route des Navigateurs, qui longeait le fleuve, ils roulaient avec le soleil de cette fin d'après-midi sur la nuque.

— Face à autant d'enjeux, vous sentez-vous déchiré parfois ? demanda doucement Chloé.

— Naturellement. J'ai observé deux cas qui entraînent chaque fois des tensions particulièrement profondes chez les intervenants, moi y compris.

— Je vous écoute, dit Chloé, qui, n'étant plus habituée aux longs trajets en automobile, se repositionnait sur son siège.

— Premièrement, il arrive que la pathologie du bébé, même si elle est établie de manière claire, pose grandement problème au spécialiste qui doit se prononcer sur la sévérité de l'expression clinique.

— Je ne suis pas surprise. Lors de la prise de notre décision, nous avons dû composer avec une zone grise quant à la gravité des atteintes.

— Je suis content que votre médecin traitant ait partagé avec vous ses incertitudes. Chaque fois que je me suis prêté à l'exercice de prendre la chaise des parents, j'avais l'impression qu'il s'agissait du pire scénario dans le contexte d'une prise de décision irrévocable.

— Eh bien, doc, vous n'aviez pas tort ! lança Chloé sans retenue.

Elle n'était pas sans trouver un certain réconfort dans le fait que le tourment auquel Antoni et elle avaient été livrés soit reconnu.

Par la vitre de la voiture, Chloé croisait autant d'univers que de voitures qu'ils doublaient. Tous les passagers entrevus une fraction de seconde étaient porteurs d'une parcelle de « l'histoire naturelle de l'humanité ». Ils en étaient à la fois l'aboutissement et la continuation, puisque individuellement ils avaient leur histoire propre. Des vies meilleures ou plus tragiques que la sienne ? Elle s'interdisait de croire que ces gens n'avaient jamais vécu un drame aussi lourd que le sien. « À chacun sa croix », se dit-elle en fixant un nuage taillé dans les ailes d'un ange.

Aux commandes de l'auto, le Dr Sauvé avait jugé que syntoniser une chaîne radio pouvait alléger l'atmosphère. «Tant mieux si ça lui est aidant», pensa Chloé, sachant que, pour sa part, il y avait toujours une parole de chanson pour exacerber son émotivité. À fleur de peau, elle ne recherchait pas ce type d'exutoire à son mal-être. Elle s'était rendue à l'évidence qu'elle vivait une peine d'amour qui trouvait résonance, par ses rêves brisés, dans toutes les chansonnettes commerciales. Autant faire la sourde oreille et ne pas courir après le mal. Elle le faisait déjà suffisamment en ce moment…

Chloé avait désormais la certitude que le médecin avait à plus d'une reprise glissé sur la question pour laquelle elle le talonnait. Elle concevait maintenant clairement qu'il avait profité – et joué sur le sens – de son interrogation dans sa formulation initiale: il ne tentait nullement d'élucider le malaise autour de sa propre IMG, mais plutôt autour de l'IMG tout court. Chloé décida que le malentendu avait suffisamment duré et prit le taureau par les cornes.

— Docteur Sauvé, que s'est-il passé durant mon interruption?

— Madame Collard…

— Je sais, je vous place dans une position inconfortable, mais j'ai la conviction que savoir m'apaisera, peu importe ce que j'apprendrai.

— Ce n'est pas si simple. Vous avez déjà vécu le choc du diagnostic et la douleur de la décision; je ne trouve pas approprié de consentir à vous amener sur ce terrain-là.

— J'ai déjà perdu ma naïveté face à la vie. Ce que vous allez me dire, docteur, ne pourra pas décupler ma souffrance. Je peux seulement espérer que vous contribuerez à la rendre plus tolérable.

— Voudriez-vous des calmants ou des somnifères ? offrit-il d'emblée. Vous en a-t-on proposé à l'hôpital ?

— Oui, n'en doutez pas, mais je n'ai déjà pas voulu être *partie* quand s'est présenté le départ de mon fils, alors je ne changerai pas mon point de vue à la veille de ses funérailles. Sauf votre respect, vous semblez plus mal à l'aise que moi…

— Ah, je vous avoue que, parfois, c'est pour notre sérénité de praticien que l'on propose de médicamenter un patient.

— Vraiment ?

— J'exagère, c'est vrai. Dans le contexte d'une IMG, où les patientes ne sont pas sous anesthésie et où l'intervention est délicate, il n'est pas négligeable de profiter du secours des médicaments pour aider à la sécurité du geste médical.

— Mais alors, quand Théo a été anesthésié lors de l'IMG, ce n'était pas uniquement pour notre conscience de parents et la quiétude de l'équipe soignante…

— C'était avant tout pour votre bébé : les plus récentes données établissent que le fœtus ressent la douleur aussitôt que… dès le seuil de viabilité atteint, en fait.

Chloé repensa à l'embarras du médecin.

— Mais, si je puis me permettre…

— Allez-y.

— Ne tentez pas d'expédier la souffrance des parents en brûlant certaines étapes. N'agissez pas comme s'il s'agissait d'une patate chaude qu'il fallait passer vite fait au voisin.

— En vous proposant de faire ce trajet avec moi, je ne crois pas avoir agi de la sorte.

— Non, bien sûr. Je voulais simplement attirer votre attention sur le fait qu'on peut trouver une part de paix en mûrissant chaque étape, aussi difficile soit-elle. Pas seulement par la médication.

— Considérez que, très souvent, l'urgence ne vient ni des parents ni des médecins, mais de l'imminence du moment où les parents ne craignent plus de s'adresser au bébé par son prénom – une IMG pratiquée tardivement comme la vôtre demeure l'exception, ne l'oubliez pas.

— C'est bon, je sais exactement à quoi vous faites allusion.

— Mais je tâcherai de me souvenir de votre… mise en garde.

Ils quittaient à présent la voie rapide pour se glisser dans le flot des véhicules qui pénétraient à l'intérieur de l'agglomération. À ce stade, Chloé reconnaissait déjà la silhouette de l'important terminal de transport en commun. La courtoisie qu'elle reconnaissait au Dr Sauvé lui laissait entrevoir qu'il la déposerait dans quelques minutes au débarcadère des usagers.

Chloé ne savait pas ce que représentait pour le jeune médecin l'entretien qu'ils avaient eu. Même si elle n'avait pas trouvé réponse à toutes ses interrogations, elle avait une meilleure compréhension de la conjoncture qui l'avait amenée à laisser partir son bébé, désormais à l'abri d'un acharnement thérapeutique probable. Elle allait quitter la voiture avec, pour sentiment, une certaine inspiration face à l'observance dont l'homme pouvait faire preuve quand il était question de respecter la vie dans sa plus simple expression.

— Docteur, je ne voulais pas chercher des poux sur la tête d'un chauve.

— Je sais, je ne le suis pas encore, la taquina-t-il.

— J'apprécie que ma démarche ne vous ait pas effrayé, mais…

— Ça ne servirait strictement à rien, madame Collard, d'avoir en tête cette dernière image de votre enfant vivant.

— Vous pourriez être plus franc, mais ce serait à la limite désagréable ! s'offusqua Chloé.

Le Dr Sauvé soupira, son expiration aussi longue que sa résignation.

— Je vous parlais tout à l'heure de deux cas qui bouleversent les intervenants. Eh bien, le second, c'est lorsqu'un événement inhabituel survient. Vous savez, un peu comme pour ces embaumeurs dont c'est le quotidien de manipuler des cadavres. La routine est leur clé pour créer un cadre de travail normal. Sauf que le jour où une dépouille leur est présentée avec un bras équarri dont le nord pointe le sud, ils sont aussi démunis que vous et moi devant la mort.

La voiture s'immobilisa près des doubles portes du terminal pleinement ouvertes sur le printemps.

— Un geste de votre bébé a cassé notre routine. Ce n'est pas tant que c'est exceptionnel, seulement, ça surprend toujours un peu.

Le médecin se pencha à l'oreille de Chloé, lui révélant à voix basse ce que cœur et raison bataillaient pour savoir. Les larmes vinrent à la jeune femme comme une conséquence naturelle et prévisible. Elle fit signe qu'elle comprenait et sourit au Dr Sauvé.

— Je ne vous invite pas aux funérailles, dit-elle pour clore leur dialogue.

— Merci, c'est gentil, plaisanta le praticien. Je vous souhaite sincèrement beaucoup de bonheur dans une grossesse future.

— Merci à vous, docteur. Merci pour tout, insista Chloé.

— Quand vous serez dans la tempête, gardez en tête que vous aviez le droit de choisir les conditions dans lesquelles élever votre enfant. Moi, comme médecin, je n'étais là que pour vous appuyer dans votre décision, peu importe le sens qu'elle prenait.

Comme une conclusion toute naturelle à ce moment privilégié, ils s'embrassèrent sur les joues. Les poignées de main n'avaient de signifiance que dans l'éphémère ; devant les vœux d'éternité de la foi, de la royauté, de l'amour et de l'intégrité, on s'embrassait.

Chloé sortit de la voiture, ferma la portière avec douceur et marcha quelques pas. Elle ne put s'empêcher de se retourner pour regarder s'éloigner l'homme qui avait vu son fils vivant pour la dernière fois. Elle pensa alors qu'elle était mûre pour une orgie de plaisirs, comme une ode à la vie – qui avait de ces surprises ! –, et elle résolut finalement de rejoindre Antoni, où qu'il soit.

CHAPITRE 4

LE PÈRE ET L'EXUTOIRE

Lorsqu'elle entra dans la maison, c'est le rire d'Antoni qui l'accueillit dans le vestibule. Spontané, sincère, ce rire qui la chatouillait jadis des oreilles aux ovaires lui parut dérangeant, à la limite insolent. Chloé inspira profondément et, sans enlever ses souliers, sans un regard sur la porte close de la petite chambre bleue, traversa le corridor qui menait au salon.

En un coup d'œil, elle apprécia la scène qui s'offrait à elle. Dans la pénombre des rideaux tirés trônait Antoni, étendu sur le divan devenu une île d'objets hétéroclites. Il avait manifestement passé un long moment à s'abîmer l'esprit devant l'écran, puisque autour de lui s'étalaient tous les ingrédients nécessaires à une vie autarcique : boîte de pizza, journal, cannette de boisson énergisante, bouteilles de bière, sac de croissants non refermé, couteau, mouchoirs en papier. Chloé posa son sac à main sur la chaise berçante alors qu'Antoni lui glissait un regard de bienvenue, le visage rayonnant, avant de reporter illico son attention sur l'épisode de *Friends* dans lequel il s'était immergé.

— Tu ne prends pas tes appels ? lâcha-t-elle, un reproche dans la voix.

Antoni haussa les épaules, éclatant de nouveau d'un rire candide devant les simagrées des acteurs.

— J'ai téléphoné à tes parents : ils m'ont dit que tu ne les avais pas accompagnés au restaurant, poursuivit Chloé, qui laissa choir son manteau sur une chaise.

Antoni fit signe que c'était vrai, ne quittant pas la télé des yeux.

— Tu n'étais pas là pour les arrangements ? insista Chloé.

— Toi non plus, dit simplement Antoni.

— Parce que tu m'avais assuré qu'il ne s'agissait que de signatures. Je comptais que tu t'y rendrais.

— Hmm, acquiesça-t-il distraitement.

— Quoi ? Ils prenaient des signatures vocales ?

— Pour les derniers détails, mes parents m'ont appelé et, pour les papiers, ils étaient d'accord pour signer, résuma-t-il rapidement, agacé.

— Même les factures ?

Antoni se tourna vers Chloé, délaissant son émission de mauvaise grâce.

— Oui, Chloé, même les factures. Considère ça comme ton cadeau de Noël.

— Noël en mai, autant dire que c'est le Noël du campeur ! s'offusqua-t-elle. Tes parents n'avaient pas à payer ça : c'est nous qui sommes les parents de Théo, on le lui devait.

— Pour ce que ça change…, observa Antoni.

— Justement, la seule raison pour laquelle on fait des funérailles, c'est pour que ça symbolise quelque chose pour nous. Alors, si tes parents paient, je ne vois plus l'intérêt de l'événement.

— Vois-le comme une avance, si t'aimes mieux. On réglera tout ça plus tard.

— Ben oui, «plus tard»… Comme si tes parents étaient du genre à accepter qu'on les rembourse…

Antoni se redressa et chercha la télécommande pour interrompre les échos de la télévision.

— Bon, Chloé, c'est quoi le problème? À ce qu'il me semble, je n'ai pas manqué de rendez-vous, j'ai réglé l'affaire des funérailles…

— T'as délégué, tu veux dire.

Antoni bouillait, rassemblant tout son petit change pour ne pas prendre la mouche.

— Chloé, je n'ai pas l'intention de me chicaner avec toi. On vit tous les deux quelque chose de particulier, donne-nous une chance.

Il lui désigna le bout du divan pour qu'elle s'assoie. Chloé l'ignora.

— «Donne-nous une chance! Donne-nous une chance!» singea-t-elle. Tu nous en donnes une, toi, une chance? De toute façon, pour ce que ça veut dire… Plus personne dans cette maison n'y croit, à la chance!

— Qu'est-ce que tu me reproches, Chloé? Voudrais-tu que je me déchire le cœur à longueur de jour? Est-ce que je dois me sentir coupable de rire une heure dans ma foutue journée?

— Une heure? T'es sérieux, là? Antoni, ça fait des jours que tu es branché à cette télé comme à un cathéter!

— Tu t'inquiètes pour la vaisselle…

— Pour ta santé mentale.

— Quelle délicatesse... Chapeau pour l'approche.

— Tu t'es enfilé des boîtiers entiers de la série. Tu t'es relevé la nuit passée pour te taper un épisode de plus. Ça dépasse la mesure.

— Et tu t'attendais à ce que je réagisse comment, Chloé ? NOTRE BÉBÉ EST MORT !

La douleur, comme un ressort, avait fait bondir Antoni du divan.

— Honnêtement, je ne sais pas ! répondit-elle. Je ne sais pas ce que des gens sensés sont supposés faire dans pareille situation. Et qu'est-ce qui nous arrive, après tout ? « On n'était juste pas prêts » ; « On est jeunes, on en aura d'autres » ; « C'est mieux comme ça »...

— Chloé, arrête ça, la prévint-il.

— OK, je résume : larver sur un divan comme tu le fais ne figure pas dans mon top 10 des réactions saines, conclut méchamment Chloé.

— Tu veux que j'te dise, contre-attaqua Antoni, je ne trouve pas plus sain de te savoir partie aux quatre coins de la ville raconter notre histoire à des inconnus.

Chloé fut soufflée.

— Si je pouvais avoir avec toi les conversations que j'ai eues avec ces « inconnus », je ne quêterais peut-être pas du sens ailleurs.

— Ah, voilà où le bât blesse. Je ne parle pas suffisamment. Veux-tu bien m'expliquer, Chloé, pourquoi il faudrait que j'aie le même besoin que toi de dire les choses ?

Le couple se faisait face, debout au centre du salon, planté dans l'écho de leur querelle.

— Mais il faut bien que t'extériorises ta peine !

— Brailler, sacrer, attraper des contraventions, ce n'est pas suffisant ?

— …

— Tu voudrais que je casse une chaise ?

Antoni se mit à regarder autour de lui. L'énervement de Chloé grimpa d'un cran quand elle eut conscience d'avoir poussé Antoni à bout, incapable de juger s'il était sérieux ou non.

— Arrête, c'est ridicule.

— Il faudrait te décider, Chloé : tu veux que j'exprime mes émotions ou non ?

— Oui, mais pas de cette manière.

— Comment, alors ? Dis-moi ça.

— Je… Juste parler. Juste me dire comment tu vis les choses.

— Et ça fera du bien à qui, au juste ?

— Je m'inquiète pour toi !

— Dis plutôt que tu veux te faire rassurer.

— Mais il faut que ça sorte.

— Quoi, « ça » ? Pourquoi faudrait-il qu'il y ait quelque chose ?

Chloé resta silencieuse, n'ayant pas anticipé cette réponse. Elle fit un pas vers le divan et s'y laissa glisser.

— Je pensais que tu aimais ce bébé…

— Il n'y a aucun lien, Chloé, ne mélange pas tout.

— Mais tu n'as même pas l'air affecté !

— Explique-moi en quoi le fait que je me soûle, que je me roule un joint, que je sorte faire des graffitis prouverait que j'aimais ce bébé. *Come on*, Chloé, on n'est plus des ados à vouloir prouver qu'on aime en se lançant par la fenêtre !

Antoni semblait exaspéré, s'appuyant la paume de la main sur le front. Il disparut dans la pièce voisine et revint avec son manteau sur le dos.

— Tu veux que je fasse quelque chose ? Lève-toi, on sort.

Alors qu'il lui tendait son manteau, Chloé rouspéta :

— Je pensais plus à toi qu'à moi…

— Eh bien, tu fais partie de la solution, maintenant.

Ils avaient roulé sans échanger un mot près de vingt minutes, allant d'un échangeur à l'autre, puis s'étaient lancés sur le pont Jacques-Cartier sans que Chloé ait la moindre idée de leur destination. Elle s'y était si mal prise avec Antoni qu'elle avait récolté le silence au lieu des confidences.

Il était environ 22 heures quand Antoni gara la voiture dans un vaste stationnement. Évitant le regard de Chloé, il conservait un visage fermé. Il débrancha son téléphone portable, qu'il avait fait recharger durant le trajet, et il sortit du véhicule.

— Tu voulais du défoulement, c'est le bon endroit.

— Qu'est-ce que tu as en tête, Antoni ?

— Suis-moi, tu verras.

Antoni se mit en marche vers un sentier, Chloé sur ses talons.

— Est-ce qu'on va nuire à quelqu'un ? s'inquiéta-t-elle.

— Non, ce n'est pas le but.

— Est-ce qu'on va briser quelque chose ?

— As-tu envie de briser quelque chose ?

— Je ne m'en sens pas vraiment l'énergie…

— Alors, non.

— Est-ce que… Est-ce que c'est un truc sexuel… un fantasme ?

Antoni s'immobilisa, se tourna vers Chloé, qui se sentit rougir dans le noir.

— Ça s'pourrait, mais alors, il faudrait vraiment que tu me dises quoi faire, parce que ce n'est réellement pas dans mes pensées ces temps-ci. Je voudrais juste que la Terre arrête de tourner pour que j'aie moins le tournis. Mais si toi, t'en es là, j'vais respecter ça.

Chloé se mordit la joue. Elle eut l'intuition qu'elle gâchait tout. Elle aussi était à des années-lumière de telles considérations, mais elle avait voulu faire preuve d'ouverture… Enfin, dire qu'elle avait voulu forcer une réaction d'Antoni était plus juste. C'est lui qui démontrait bien davantage d'ouverture, de tolérance, à l'idée qu'ils ne vivaient pas les choses de la même façon.

Devant elle, n'attendant plus de réponse, il s'était remis à marcher.

— Antoni, je suis désolée. J'ai… j'ai interprété ton silence comme du détachement.

— C'est dur, c'que tu m'demandes, Chloé, le sais-tu ?

Il lui attrapa la main alors qu'elle peinait dans une légère montée du sentier.

— Le prends pas mal si je t'avoue que, pour moi, ce bébé est devenu vraiment concret juste à la naissance. Et la journée où je découvre mon fils, je le perds. Je n'avais pas une relation de tous les instants avec lui comme toi. C'est déjà une différence.

Ils marchèrent quelques minutes en silence, se concentrant sur le terrain inégal éclairé par intermittence par la lumière paille des lampadaires.

— Par contre, ce qui est concret pour moi, ce sont les photos.

Antoni s'arrêta encore, sortit son téléphone et montra à Chloé une image qu'elle n'avait jamais vue auparavant. Elle se reconnut, endormie, serrant contre son sein un petit corps aux lèvres trop bourgogne, emmitouflé dans deux couvertures telle une corne d'abondance pour dissimuler une inertie qui se devinait. Un rayon de soleil inespéré venait illuminer la scène.

— C'est ma préférée, mais…

Antoni fit défiler en rafales une dizaine de clichés.

— … il y en a d'autres. Je les regarde constamment. Je ne peux pas croire qu'on est passés à côté du bonheur. Tu as l'air si bien sur ces photos…

— Je ne savais pas que tu en avais pris.

— Je ne savais pas si les voir allait te faire plus de peine. J'ai toujours peur que, si je partage avec toi mes moments de tristesse, ça t'affecte davantage.

— Au contraire, j'me sentirais moins déphasée, moins excessive peut-être.

Antoni rangea le téléphone et prit Chloé par les épaules pour continuer à progresser sur le sentier.

— Avec ce qu'on vit, Chloé, on ne peut pas toujours être cohérents. C'est ce que je voulais dire tout à l'heure quand je te demandais de nous laisser une chance : il faut se donner de la corde, vivre ça mollo.

— J'avais plutôt le sentiment qu'il fallait qu'on se défonce, qu'on exorcise ce maudit mal. J'ai comme un besoin d'action, d'excès, à ne plus savoir qu'en faire. Ça me rend fébrile.

Antoni rit.

— J'avais remarqué, tu sais.

— Te voir dans cet état… dépressif me faisait capoter. Je ne comprenais pas que tu ne fasses rien pour Théo.

— J'attends simplement que les souvenirs cessent de prendre toute la place.

— Ça peut aider qu'on fasse un truc fou.

Ils marchaient à proximité des jardins d'eau qui égayaient l'été les sentiers de l'île Sainte-Hélène.

— Es-tu *game* qu'on se lance à l'eau?

— Oh, non. Rien de physique. J'en ai déjà plein mon assiette juste avec cette marche.

— J'ai mon canif: on peut graver le nom de Théo sur un arbre.

— C'est trop long. Et puis, tu vas trimer pendant que je resterai plantée à te regarder; je ne vois pas en quoi ça me défoulera.

— Ici, Chloé, il y a de l'espace et personne à déranger.

— Ça donne beaucoup d'options, c'est vrai…

— Qu'est-ce que tu veux vraiment? Dis-le parce que, moi, je ne niaiserai pas ici toute la nuit, s'impatienta Antoni.

— Je ne sais pas trop…

— Tu m'étonnes! Je te proposerais une statue comme le Manneken-Pis, une poupée Bout d'chou avec le nom de Théo tatoué sur la fesse, une marque de chocolat avec sa face dessus que ça n'serait pas assez!

— Qu'est-ce que tu veux que j'te dise! mugit Chloé en se dégageant de l'étreinte d'Antoni.

Comment veux-tu que j'y voie clair, dans tout ce marasme émotif?

— Cesse de lambiner! Fais tes choix pour être bien.

— Je ne veux pas faire des choix pour être bien, mais pour être mieux! hurla Chloé.

— C'est ça! Bonne idée! vociféra Antoni. Crie donc!

— Certain que je vais crier! Je suis en droit de crier! Je peux crier!

— Eh bien, fais-le, mais pas contre moi!

Chloé se tut.

— Oh! C'est pas vrai… Madame peut hurler, mais pas crier. C'est le moment, Chloé.

— Je ne voulais pas m'emporter.

— Eh bien, trop tard. Tu cherchais comment te défouler? T'as trouvé.

— Je n'ai plus crié depuis la dernière fois que j'ai joué à la cachette. Je ne sais même pas si je peux encore.

— Tu disais pouvoir il y a trois secondes et t'étais bien partie, crois-moi, dit Antoni, un peu amer. Allez, et le plus fort que tu peux!

Chloé hésita, mais devant l'insistance d'Antoni, elle inspira. Le premier son qu'elle émit n'était pas moins timide qu'un mantra. Antoni voulut l'encourager:

— Donne une voix à Théo, offre-lui ce cri qu'il n'a pas poussé.

Comme Chloé allait faire un nouvel essai, il changea d'idée.

— Non, attends. On y était presque.

Il reprit la main de Chloé en la serrant trop fort pour la forcer à précipiter le pas. Après une minute de course plus que de marche, ils aboutirent sur une grande place pavée qui s'avançait au-dessus du fleuve. Antoni lâcha la main de Chloé, qui courut jusqu'au garde-fou et, quand son corps percuta la balustrade, elle en agrippa vivement les barrotins et laissa s'échapper son souffle dans un cri libérateur qui résonna sur les flots noirs. Antoni la rejoignit. Il prit appui à son tour sur le garde-fou et sonda le vide.

— Oh, mon Dieu ! Ça fait tellement de bien ! s'enthousiasma Chloé. Fais-le avec moi.

Elle prit la main d'Antoni dans la sienne et, lorsqu'elle la serra plus fort, ils lancèrent à l'eau tous les décibels de leur rage sans mots.

Chloé rétablit sa respiration.

— Je sens tout mon corps électrisé ! s'émerveilla-t-elle.

— Refais-le. Laisse-toi aller, dit Antoni, toute colère évanouie.

Chloé poussa la note et, au plus fort de son exaltation, elle péta.

Elle s'interrompit et jeta un coup d'œil de biais à Antoni.

— J'ai entendu…

— Ah… C'est tellement gênant ! Je ne voulais pas, c'est…

— Quand je disais «Laisse-toi aller», c'était une image, Chloé, la taquina Antoni.

— C'est à cause de l'accouchement ! se défendit-elle, terriblement confuse. Je n'ai pas encore repris tout le contrôle de… de mes orifices.

Mais Antoni riait. Alors, elle rit. Elle rit de bon cœur de sa condition humaine, admettant avec humilité les ratés du cœur et du corps, mécaniques ingénieuses mais imparfaites.

— Pauvre Antoni! dit Chloé en reprenant son souffle. On peut dire que tu auras été témoin des obligations les plus élémentaires de mon quotidien…

— Qu'est-ce que tu veux… La vie est tellement dans le quotidien, Chloé. Si je n'accepte pas ça, je ne vois pas l'intérêt de la partager avec quelqu'un, parce que, en fait, c'est tout ce qu'on a, le quotidien : on a envie de répudier notre passé et on n'a pas encore construit l'avenir. D'où l'importance de préserver jour après jour ce plaisir *pétaradant* d'être ensemble, non?

Chloé accepta de bonne grâce la taquinerie. Elle reporta son attention au loin. Le petit promontoire où ils se trouvaient offrait une vue imprenable sur le centre-ville de Montréal, qui baignait dans un halo de lumières orangées, blanches et jaunes. L'eau ondulait dans un mouvement qui créait une agréable rumeur, et la tiédeur du vent surprenait de douceur.

— Pourquoi voulais-tu m'emmener ici? demanda Chloé.

— À ton avis, où se trouve le nord?

— Je dirais par là, répondit-elle en pointant un doigt parallèlement au pont Jacques-Cartier.

— Tu n'y es pas du tout. Tu vois comme tu es désorientée… toute seule. Par contre, à deux…

Antoni s'approcha d'elle, passa son bras droit derrière elle et mit sa main gauche dans la main opposée de Chloé. Il tendit leurs deux bras vers l'horizon et l'entraîna dans un pas de danse, chantonnant tout bas:

Pussycat, Pussycat
I love you
Yes, I do!
You and your pussycat nose!
What's new Pussycat? Woah Woah
What's new Pussycat? Woah Woah
Pussycat, Pussycat
You're so thrilling
And I'm so willing
To care for you.
So go and make up your cute little pussycat eyes!
…
Pussycat, Pussycat
You're delicious
And if my wishes
Can all come true
I'll soon be kissing your sweet little pussycat
lips[10]!

Chloé avait fermé les yeux, attendant le baiser…
qui ne vint pas. Elle rouvrit les paupières, fronça
les sourcils et affronta le regard moqueur d'Antoni.

— C'était ma vengeance. C'est vraiment
trop facile de frustrer les filles romantiques…,
constata-t-il.

Avant que Chloé émette la moindre récri-
mination, il l'embrassa et les fit tournoyer tous
deux dans le même élan, les bras toujours tendus
comme l'aiguille d'une boussole. La valse faisait
danser les étoiles et les feux de la ville, mais Chloé
trouvait bien plus étourdissant de plonger pour

---

10. Tom Jones, *What's New Pussycat?*, 1965.

quelques misérables minutes dans l'état d'esprit d'une vierge Cendrillon et d'oublier ses pensées propres. Lorsqu'ils s'immobilisèrent, Antoni dit simplement :

— Il est là, le nord.

Ils baissèrent leurs bras.

— Comment le sais-tu ? voulut savoir Chloé.

— Regarde à tes pieds.

Elle nota pour la première fois la présence d'une rose des vents cerclée de fer dans le dessin des pavés unis. La plus grande des pointes s'alignait en effet sur la position qu'Antoni avait tenue quelques secondes plus tôt.

— À deux, Chloé, on ne peut pas se perdre. J'aimerais tellement que tu t'en souviennes. Ce qu'on a vécu, c'est sûr que ce n'est pas mon scénario rêvé, mais c'est tolérable du moment que je le vis avec toi.

— Même si… Même si c'est moi qui ai parlé d'IMG la première ?

— J'en ai bien plus voulu au sort de nous mettre dans une position pareille qu'à toi de chercher une solution pour qu'on continue de croire en la suite.

Chloé fit signe qu'elle comprenait. Antoni alla s'étendre dans l'herbe nouvelle et elle suivit docilement son exemple. Ils s'abîmèrent dans la contemplation des étoiles jusqu'à perdre tout repère, jusqu'à se dissocier de leur corps, jusqu'à engourdir toute émotion. Lorsque le vertige prit le dessus, ils roulèrent sur le côté.

— Comment te sens-tu ? s'enquit Antoni.

— Petite, admit Chloé.

— Mieux?

— Je n'y suis pas encore, mais je comprends que mon envie de taper sur la ruche, de provoquer quelque chose, peut en rester là. C'est comme un fantasme, finalement : imaginaire par définition. Je ne gagne peut-être pas tant que ça à concrétiser la chose.

— Surtout à partir du moment où le gars et la fille en ont déjà parlé, fit remarquer Antoni, goguenard.

— On rentre? proposa-t-elle.

— Si tu penses avoir réglé la question de ton défoulement, oui.

— Je ne cherchais pas réellement un exutoire pour moi, je croyais que *tu* en avais davantage besoin.

— Tu n'étais peut-être pas d'accord avec mon choix de me geler le lobe frontal en écoutant les dix saisons de *Friends* – ça n'a rien d'équilibré, je te l'accorde –, mais ça m'aide à mettre une distance par rapport aux choses, à détourner mon attention et à éviter de faire d'autres trucs... plus malsains.

En se redressant, Chloé regarda la silhouette de la ville qui leur tenait lieu de décor. À l'instant même, d'autres dramatiques, qui feraient ou non les manchettes le lendemain, devaient se jouer dans la dynamique de certains foyers.

— Je devrais être capable de prendre du recul moi aussi, dit Chloé alors qu'ils s'apprêtaient à prendre le chemin du retour, de croire que ce bébé était tellement récent dans nos vies que tout reviendra rapidement à la normale...

— Un jour ou l'autre, Chloé, mais pas maintenant. Pour l'instant, on est juste plongés dans l'émotion crue. Laisse-nous le temps de défusionner d'avec les événements.

Antoni s'était relevé et tendait une main à Chloé pour l'aider à se remettre sur pied. Il se mit à ôter la terre humide qui adhérait encore à ses vêtements alors que Chloé restait statique. Il la regarda.

— Antoni, je n'y arriverais pas sans toi, tu le sais ?

— Si on était ensemble seulement quand on est à notre mieux, on ne serait pas un beau couple, lui répondit-il, confiant.

Après une pause pour s'orienter et choisir le sentier à prendre, Antoni ajouta :

— Tu verras, Chloé, on va y arriver. Et tu n'auras même pas à arrêter la circulation sur la métropolitaine en arrachant ta chemise !

Chloé sourit à cette idée et se lança avec Antoni sur le chemin le moins fréquenté.

CHAPITRE 5

LE PÊCHEUR ET LE TEMPS

E lle avait fait un autre cauchemar. Antoni l'avait
sauvée de son mauvais rêve en la prenant dans
ses bras. Sa respiration au galop s'était remise tranquillement au pas alors qu'elle recherchait dans sa
mémoire les traits réels de son enfant pour éclipser
la dernière vision affolante. Elle reprenait impassi-
blement contact avec la réalité et avait calé sa tête
dans le creux de l'épaule d'Antoni. Dans le silence
de la chambre, elle l'avait entendu soupirer : « J'ai
encore une place de libre dans l'autre bras… » Réali-
sant que, dans sa vision de rêve, Antoni aurait tenu
sa femme d'un bras et son bébé de l'autre, Chloé
avait compris que le cauchemar durait toujours.

Elle n'avait pu retrouver le sommeil. Ironiquement, elle qui s'en était toujours fait un allié ne
pouvait plus compter sur sa paix dans un moment
où son esprit réclamait crucialement une trêve. Le
calme, le silence et l'obscurité de la chambre étaient
favorables à un bouillonnement de pensées, des
réflexions qui émergeaient souvent sous la forme
des rêves plus ou moins conscients qui avaient été
façonnés pour Théo et qui devaient désormais être
déconstruits un par un, comme les mailles d'un

tricot qu'on ne porterait plus. Il aurait été facile de se détourner de la pièce qui avait été le lieu de rendez-vous coquins et amoureux, puis maternels – témoins des interminables roulades d'un bébé qui disputait déjà sa place au sommeil –, pour favoriser un lieu de lumière et de musique, de distractions. Mais Chloé pressentait qu'elle devait faire face à ces pensées, aussi pénibles fussent-elles, pour créer la saine habituation que lui avait décrite Joa le Quêteux. Lorsque, par la suite, les mêmes idées revenaient, elles n'étaient plus aussi incisives, simplement tristes.

Ce soir-là, toutefois, elle appréhendait la nuit, qui lui apparaissait plus abyssale qu'enveloppante. Ce soir-là, elle ne se sentait pas la force d'admettre la crudité des faits et de détricoter l'avenir. Elle s'était dit que la marche pourrait peut-être épuiser son anxiété et elle s'était levée.

Si l'insularité de Montréal, dont les ponts étaient constamment congestionnés, exaspérait les automobilistes riverains malgré tout aimantés par l'effervescence du centre-ville, Chloé, elle, s'en extasiait, vivant les saisons au gré de l'eau. Dès que la lune reprenait du service, les patineurs, cyclistes et promeneurs quittaient les sentiers et laissaient les berges désertes. «Pas si désertes que ça», nota Chloé, s'étonnant de la lueur d'un fanal près d'un saule pleureur. Elle ralentit son pas pour se donner le temps d'observer le manège d'un homme qu'elle finit par reconnaître. Il était le propriétaire d'une petite boutique d'accessoires de pêche sur la rue principale. Elle le croisait à l'occasion, lorsqu'elle venait marcher au bord de l'eau. Elle lui connaissait le sourire facile, des origines européennes, trahies par le dessin de ses traits, et deux ou trois enfants – elle ne savait plus – qu'elle se souvenait d'avoir entrevus tels de petits satellites coursant tout autour du magasin.

De toute évidence, l'homme pêchait. Quelque chose dans son attitude agaça Chloé, comme si le tableau qui se présentait à elle avait comporté une irrégularité. Un homme. Une canne. Une ligne. Un fleuve. Un arbre. Une lune. Rien dans l'inventaire ne sonnait faux. Puis, l'homme remonta la ligne, étira le bras de côté et relança son attirail à l'eau de la même façon que Chloé l'avait vu faire à une ou deux reprises durant les minutes tout juste écoulées. Comme elle s'attendait à ce que le pêcheur reprenne une position ferme pour assurer son équilibre sur la berge rocailleuse, Chloé comprit ce qui n'allait pas. Il restait crispé, courbé comme une virgule dans une posture qui ne rappelait pas la désinvolture habituelle qu'on surprenait souvent chez ceux qui aiment à taquiner le poisson. L'homme semblait extrêmement tendu.

Elle voulut rester à l'écart, songeant qu'il était tard pour les rencontres hasardeuses, mais elle fut interpellée.

— Bon temps pour être insomniaque, n'est-ce pas ? lui lança le pêcheur, le regard canalisé sur l'eau de l'entrée du canal.

— On peut dire ça, concéda Chloé, hésitant à engager la conversation.

— Je vous vois de temps en temps par ici.

— Oui, j'habite le village.

— Le village ?

— C'est comme ça qu'on désignait les maisons autour de l'église avant que la ville n'avale toutes les frontières, précisa Chloé.

— Ah.

Son interlocuteur fit une pause, puis ajouta :

— Je m'appelle Nistor. Nistor Martisor.

L'homme d'une quarantaine d'années, le teint basané par le grand air et les cheveux retenus par une lanière de cuir, ne lui avait pas tendu la main, agrippé qu'il était à sa canne, mais il avait fait mine de lever son drôle de chapeau tricoté en en pinçant l'extrémité comme il l'aurait fait du rebord d'un haut-de-forme. La retenue naturelle du pêcheur, son geste simple et galant, une attitude jugée curieuse par Chloé, la retinrent de s'en aller. Elle n'avait pas de dessein précis, et un retour à la maison signifiait la reprise du dialogue avec ses fantômes. Elle ne tergiversa pas longtemps et s'approcha.

— Appelez-moi Chloé, dit-elle en avançant une main qu'elle retira aussitôt, consciente que l'homme, les yeux toujours rivés au rivage, ne lui prêtait aucune attention.

Elle voulait amorcer la discussion comme s'ils avaient partagé le même banc de parc sous le soleil d'un dimanche après-midi, mais ses pensées lui apparurent tout à coup monocordes. Combien avez-vous d'enfants ? Quel âge ont-ils ? Fréquentent-ils l'école de quartier ? Aiment-ils la pêche comme vous ? Vous avez de la famille à Montréal ?… Elle piaffait intérieurement devant son incapacité à trouver un sujet de conversation qui ne s'alimente pas de la sphère familiale. Alors qu'elle souhaitait si fort éviter ce chapitre, elle faisait une fixation qui tuait dans l'œuf toute autre pensée. En ces circonstances, le silence s'imposait.

En même temps, l'homme ne semblait pas urgé par le besoin de parler. Il se tenait au-dessus de l'onde, une lampe frontale enserpentée autour du bras, une petite sacoche de pêche et une épuisette à ses pieds bottés. Rien de l'équipement ni des gestes du pêcheur ne lui étant familier, Chloé choisit d'en tirer parti pour bâillonner ses pensées hantées :

— C'est permis de pêcher la nuit ?

— Oui, répondit poliment Nistor, sauf dans les rivières à saumon.

— Mais comment les poissons font pour voir les appâts dans le noir ?

— Oh, on peut choisir des trucs aux couleurs vives, mais les poissons utilisent aussi leur nez et leurs oreilles pour se nourrir. C'est pour ça que certains pêcheurs vont préférer des leurres – vous savez ce que c'est – qui font du bruit.

— Et vous, vous appâtez avec quoi ?

— La simplicité : des vers de terre et des sangsues.

— Ah, c'est dégoûtant…, laissa échapper Chloé.

— Ça, il semble en effet que ce soit une question de goût, relativisa Nistor.

— Mais pourquoi pêcher la nuit ? Ce n'est pas plus compliqué pour rien ?

À cet instant, une masse sombre jaillit des flots à quelques mètres de la berge et le son de son poids brisant la surface de l'eau fit sursauter Chloé.

— Pour ça, indiqua Nistor, un sourire dans la voix, amusé par la surprise de la jeune femme.

— C'était quoi, ça ?

— Un carpe, jugea-t-il. Ou une carpe ?

— Comment voulez-vous que j'aie vu ça d'ici ? rétorqua Chloé.

— Je veux dire, en français, on dit comment ? Un ou une ?

— Oh, une carpe. Et pourquoi a-t-elle fait ça ?

— Selon les carpistes, il y a plusieurs raisons. Certains croient qu'elle nettoie ses branchies après avoir fouillé les fonds vaseux, que c'est une façon de s'oxygéner.

— Plausible. Je fais la même chose.

Nistor rit et se tourna franchement du côté de Chloé.

— Vous êtes bien la première femme que je rencontre qui se compare à une carpe !

— Eh bien, pourquoi pas ? Elle m'avait l'air jolie.

— Vous êtes drôle, vous. C'est parce qu'il fait noir que vous n'avez pas vu sa barbe. Et elle a une bedaine qui pend comme un chat gras, aussi.

Chloé fut tentée de penser qu'il ne lui manquait que des écailles, mais elle rejeta cette pensée négative. Changer d'air, faire comme le poisson, se nettoyer l'esprit après avoir atteint le fond… La nature ne lui exposait-elle pas une de ses recettes pour survivre ?

— Ce n'est pas pour son apparence qu'on aime la carpe, continua Nistor, même si une prise de trente-cinq kilos, ça fait un beau trophée. Si vous cherchez un trait commun avec la bête, pensez surtout qu'elle est très résistante dans la bagarre.

— C'est pour ce *trip* que vous pêchez la nuit ?

— Vous voulez un très beau mensonge ou la vérité ?

— Je ne sais pas.

L'hésitation était légitime. Poissée de chagrin, Chloé avait d'abord cru que les histoires heureuses agiraient sur son malaise comme un baume. Logiquement, donc, il aurait été naturel que, pour ne pas s'alourdir davantage le cœur, elle préfère le mensonge dans l'offre de Nistor. Mais l'âme humaine n'était pas à ce point inductive. Chloé l'avait compris lorsqu'elle avait eu vent de l'histoire de cette Américaine ayant investi 40 000 dollars pour une fécondation *in vitro* qui s'était soldée par une IMG, ou de cette autre mère, au congélateur paqueté de bouteilles de lait maternel pour un bébé malade qui n'avait jamais vu l'heure de quitter son incubateur. Elle avait été étonnée de découvrir ces autres facettes de l'angoisse qui rendaient la sienne plus tolérable. Dès lors, Chloé en était devenue effrayante de s'extasier devant le malheur d'autrui ; non pas qu'elle s'en délectait, mais savoir qu'il y avait possiblement pire que son expérience dépassait son entendement et modelait sa fascination pour les histoires tristes.

— Allons-y pour la plate vérité, décida-t-elle ; la nuit est belle.

— Eh bien, demain est l'anniversaire de la mort de mon fils. Il a été tué il y a deux ans dans un accident de voiture. Il aurait eu cinq ans maintenant.

— Vous étiez le conducteur ? C'est pour ça que vous ne pouvez pas dormir ce soir ?

— Ma femme conduisait. C'est pour ça que je ne peux pas dormir dans notre lit ce soir.

— Oh là là. Et votre couple a survécu à deux ans de ressentiment… Comment avez-vous fait ?

— Je ne suis pas mal vingt-quatre heures sur vingt-quatre. Il y a des moments où je suis en colère contre elle, où je ne peux pas la supporter, je ne sais pas pourquoi. C'est injuste, parce qu'elle n'était pas responsable de cet accident. Je n'ai pas à être fâché *sur* elle, surtout pas après deux ans.

— Pêcher vous permet donc de bouger et de penser à autre chose ?

— On peut dire ça. C'est plus technique de pêcher la nuit.

— Eh bien, ne cherchez pas plus loin, c'est probablement pour ça que vous êtes encore en colère.

— Parce que je pêche des poissons nocturnes ?

— Parce que vous n'avez pas l'air d'avoir complété votre deuil.

Nistor rit à nouveau, le ton railleur.

— Est-ce que c'est ma femme chérie qui vous a envoyée ? Je croirais l'entendre.

— Qu'est-ce qu'elle vous dit, votre femme ? Est-ce qu'elle trouve que vous allez bien ?

— Elle me reproche de ne pas vouloir parler, mais les femmes, elles veulent toujours parler.

Pensant à Antoni, Chloé ne manqua pas de rire dans sa barbe.

— Elle dit que si je ne parle pas, c'est mon corps qui parlera.

— En fait, elle ne doit pas avoir tort. On se doutera que vous vivez bien votre deuil si vous pouvez parler naturellement de votre fils sans déni, sans être amer, sans que vous vous liquéfiiez dans la douleur vive.

— Qu'est-ce que vous faites dans la vie ? Vous êtes psy ?

— Non, je suis directrice pour un réseau scolaire.

— Alors, qu'est-ce qui vous permet de parler sur le ton d'une connaît-tout? Vous n'avez pas vécu la mort d'un enfant, que je sache, mordit Nistor.

— Si, assena Chloé. J'ai moi aussi perdu un fils. À la naissance.

Elle serra les dents pour ne pas pleurer. Elle n'était pas venue se confier, elle cherchait simplement à vivre quelques instants autre chose que sa propre vie. Quitte à être voyeuse de celle d'autrui.

— C'était la faute du médecin? s'enquit Nistor.

— Non. Pourquoi cela?

— Une chance pour vous. Vous ne vivez donc pas avec la colère – contre votre conjoint ou l'imbécile qui n'a pas respecté son feu rouge.

— Parce que vous croyez que je n'ai pas de raisons d'être en colère? s'étonna Chloé.

— Pas comme moi, en tout cas.

— Eh bien, vous vous mettez le doigt dans l'œil! J'ai autant de raisons que vous de me sentir flouée par la vie : je pourrais penser que j'ai vomi mes tripes et me suis privée pour rien pendant des mois ; que j'ai mis deux jours pour accoucher avant de repartir de l'hôpital avec deux maigres photos quand une mère reçoit normalement un bébé en récompense ; que j'ai perdu ma taille pour gagner des varices. Remarquez, une autre que moi vous dirait que les enfants ne sont pas issus de la génération spontanée, que la femme doit troquer en quelque sorte la déformation de son corps contre la vie de son enfant… Pour ma part, peu importe l'équation que je prends, je reste malgré tout perdante au change.

— C'est sûr que vous êtes affectée sur le plan physique, vous avez porté ce bébé. Mais vous ne l'avez pas connu.

— Pas connu ? Je n'étais pas enceinte de trois mois que je connaissais par cœur les chiffres de son rythme cardiaque, que je chantais son prénom de petit garçon, que je savais qu'il était joueur et timide...

L'ambiance ouatée de la salle d'hôpital vint se superposer à celle de la nuit. Les murmures des grillons devinrent ceux d'une équipe médicale aux gestes infiniment doux. Chloé se rappelait. Allongée sous le drap blanc qui allait devenir le linceul de son fils, n'existait plus pour elle que le regard d'Antoni. Grâce aux progrès de la science, elle allait être aux premières loges de la mort de son enfant.

Seulement, lorsque la demi-heure nécessaire au travail du spécialiste s'était étirée en une heure, Chloé s'était rendu compte que quelque chose n'allait pas. Théoriquement, l'intervention pour interrompre la grossesse consistait à injecter un puissant morphinique dans le cordon ombilical pour anesthésier le bébé, puis de la lidocaïne, un produit aux propriétés létales. La gorge nouée, elle avait compris que l'euthanasie allait devoir être complétée par voie intracardiaque. Chloé avait étranglé le hoquet de son sanglot : il lui était impossible d'exprimer sa peine vu les aiguilles qui transperçaient son abdomen. Elle s'était alors concentrée sur les derniers mouvements de son bébé, dont elle voulait profiter jusqu'à plus faim, jusqu'à ce qu'au silence se jumelle l'immobilité.

Sa rencontre avec le Dr Sauvé avait éclairci le mystère à l'origine des retards au cours de l'intervention. Le bébé tournait le dos aux médecins, ce qui rendait extrêmement complexes les tentatives pour atteindre proprement le cordon ombilical. Théo si timide… La Dre Trudel, qui supervisait les manipulations, avait dit : « Ils me surprendront toujours. » Le Dr Sauvé n'avait pas compris l'allusion jusqu'à ce que sa patronne désigne l'écran. Elle avait ajouté simplement : « Il s'amuse avec son cordon… » Théo joueur… Voilà comment la routine avait été rompue et la procédure, conséquemment modifiée.

Quand le médecin spécialiste avait annoncé « C'est fini », ces mots, qui se voulaient banals à la fin d'une intervention, avaient été un couteau dans le cœur de la mère, comme l'aiguille dans le cœur de l'enfant.

— Vous ne l'avez pas connu dans le sens où vous ne savez pas ce qu'il préférait entre la confiture et le beurre d'arachide. Vous ne savez pas s'il était du genre doudou ou du genre toutou.

— C'est bien là le drame ! À quoi voulez-vous que je me raccroche pour vivre le départ de mon fils en douceur ? Je n'ai eu que quelques heures pour me faire un condensé de toute une vie de souvenirs. Je pense à mon fils, et ne me reste pour nourrir sa mémoire que l'empreinte encrée de ses pieds qui me boxaient l'utérus. Quand vous n'avez qu'une pincée de souvenirs, essayez donc de ne pas virer fou à vous repasser le même disque *ad vitam æternam* !

— OK, ce n'est peut-être pas une question de…

— … de souvenance, proposa Chloé.

— C'est plus une histoire d'attachement, alors. Il me semble que plus vous avez passé de temps avec quelqu'un, particulièrement un enfant, plus le manque est tragique.

— Vous vous trompez. L'intensité du chagrin n'a rien à voir avec le nombre de semaines de grossesse. Pareillement, vous ne seriez pas plus malheureux de perdre votre garçon à dix-huit ans qu'à douze ou à trois ans.

— Peut-être, mais à trois ans, l'enfant est si innocent et si fragile. C'est bien plus cruel, assura Nistor, qui s'entêtait à faire de la concurrence à Chloé pour le droit à la tristesse.

— Vous ne pensez pas qu'à trente-sept semaines de grossesse, mon fils l'était tout autant ?

— Je croyais qu'il était mort à la naissance…

— Peu importe, coupa Chloé, légèrement irritée.

Ses pensées l'aspirèrent à nouveau. Quelle différence réelle y avait-il entre une mort prénatale à trente-sept ou quarante semaines ? Dans les deux cas, on parlait d'un bébé à terme. Dans les deux cas, c'était Théo. Théo avec une lettre majuscule. Une capitale qui imposait, certifiait son droit à l'existence. Un T justement dessiné pour tendre les bras dans l'ouverture d'une porte avant qu'elle ne se ferme. Une porte qu'on avait fermée malgré tout. Chloé soupira. Si le temps n'avait pas d'importance, pourquoi parlait-elle de son bébé comme étant « mort à la naissance » et non pas « mort à trente-sept semaines » ? Cherchait-elle à susciter plus d'empathie – difficile de croire que ce soit nécessaire tant les gens étaient sensibles au drame – ou à éviter les questions embarrassantes – elles venaient de toute façon des interlocuteurs fouinards ? Chloé n'admettait pourtant pas que la déchirure de perdre un enfant soit proportionnelle à son âge. Elle risqua à voix haute la pensée qui lui venait tout bas.

— La peine est bien plus relative à l'amour que les parents vouaient à leur enfant, à ce qu'il représentait pour eux, dit-elle à Nistor, d'un ton faussement connaisseur, alors qu'elle puisait les réponses en elle-même.

— Moi, je veux consacrer le reste de ma vie à aimer mon petit gars.

— Qu'est-ce que ça veut dire, concrètement ?

— Je vais tous les jours sur la tombe de Mihai.

Nistor se mit à râler. Sa respiration devenait plus ardue à chaque inspiration. Il lui tendit la canne à pêche.

— Tenez.

— Je ne sais pas pêcher…

— Je ne vous demande pas de pêcher mais de vous pencher. Tenez la canne !

Dès que Chloé l'eut prise, l'homme porta les mains à la poche interne de sa veste. Il en retira une pompe du type de celles contenant un médicament bronchodilatateur pour le traitement de l'asthme. « Voilà ce que voulait dire sa femme par le fait que son corps allait parler », songea Chloé. Alors même que Nistor se soignait et qu'elle pensait combien l'attitude du pêcheur ne lui apparaissait pas saine, la jeune femme ressentit, par le canal de la canne, de brèves impulsions. N'osant trop croire qu'un poisson embrassait à l'instant les courbes de la sangsue embrochée à l'hameçon, Chloé marmonnait : « Va-t'en ! Mais va-t'en ! » Son réflexe fut d'éloigner l'appât de la gueule du poisson pour s'éviter d'avoir à le combattre, mais en donnant un coup de côté, elle le ferra accidentellement et faillit être déséquilibrée par le contrecoup.

— Oh, mon Dieu ! s'exclama-t-elle, l'adrénaline chauffant ses veines. Ça doit être un crocodile !

— Tenez fort ! lança Nistor, sans toutefois faire un geste pour délester Chloé de la canne.

— Foutue chance du débutant…, ragea-t-elle.

En même temps, la force invisible qui tirait sur la ligne réveilla en Chloé un instinct ancestral de chasseresse. Aussi répugnée fût-elle par le contexte de la pêche – la boue, les appâts frétillants, l'aspect finalement hideux d'un poisson de fond –, elle voulait voir la prise, se l'approprier, vaincre la bête. La jeune femme se mit à tirer de toutes ses forces sur la ligne.

— Doucement, prévint Nistor, vous allez…

À cet instant, l'hameçon se détacha de la gueule de l'animal et toute l'énergie emmagasinée dans le fil tendu se trouva libérée d'un coup, envoyant dangereusement valser l'attrapoire dans la direction opposée au tir. Reconnaissant le plouf d'un poisson gracié, Nistor n'eut que le temps de mettre une main en visière devant son visage avant que l'hameçon ne se fiche dans son pouce. Il étouffa une rouspétance. Chloé fut instantanément sur la défensive.

— Je vous avais dit que je n'avais jamais fait ça !

— Je vous avais seulement demandé de tenir la canne.

— Ça a été plus fort que moi, s'excusa-t-elle.

Nistor se radoucit.

— C'est ça, avoir la piqûre de la pêche.

— C'est le cas de le dire !

— Quand on l'a ressentie une fois, après, on ne vit que dans l'attente que ça se reproduise. Les gens croient que les pêcheurs sont patients ; moi, je pense qu'ils sont avides.

— Et c'est vrai pour bien des situations, ajouta Chloé pour elle-même. Allez, dit-elle après une pause, montrez-moi ma prise.

Plutôt que de tendre sa main, Nistor eut un mouvement de recul.

— C'est piqué profond. Apportez-moi la sacoche.

Chloé s'exécuta, rapprochant du même geste la lampe à gaz pour mieux éclairer leur saynète. Ils s'assirent sur un trio de grosses pierres qui bordaient le cours d'eau. Au lieu de sortir une paire de pinces pour retirer le crochet de son pouce, Nistor avait attrapé de petits ciseaux qu'il tendit à Chloé. Elle coupa la ligne au-dessus du nœud de l'hameçon. Le pêcheur prit ensuite le thermos qui patientait dans une poche latérale de la sacoche, versa du café dans le bouchon en forme de tasse et l'offrit à la jeune femme. Il empoigna le thermos par son anse et porta un toast avec elle avant de boire.

Partager une boisson chaude au cœur de la nuit, à la lueur d'un fanal, façonnait un moment d'intimité tout particulier. Chloé y fut sensible et, se rappelant les derniers mots de Nistor, elle alla droit au but :

— Si vous vous rendez tous les jours sur la tombe de votre enfant, vous n'allez jamais en vacances?

— Non.

— Pas davantage en visite plus d'une journée?

— Non.

— Et au restaurant?

— Quel est le lien?

— Répondez.

— Non plus.

— Pourquoi?

— Pourquoi est-ce que je devrais?

— Ce n'est pas une question d'obligation. C'est plutôt que votre comportement trahit votre état d'âme. Comme si vous vous donniez le devoir de visiter Mihai, d'être fidèle à sa mémoire, et que vous vous sentiez coupable de certains plaisirs.

— Qu'est-ce qui vous le fait croire?

— J'ai peur d'être impolie si je vous dis le fond de ma pensée et, croyez-moi, ces temps-ci, le fond n'est pas loin.

— Les pierres font partie du chemin. Dites.

— On vous sent désespérément frustré.

— Je ne vois pas de quoi. Je fais ce qu'il faut.

— Mon bébé me manque tellement; je peux imaginer le vide que Mihai a laissé en partant trop tôt. Même si je ne sais pas trop comment je vais faire pour traverser les prochains jours debout, je sais par contre que je ne retournerai pas de sitôt au cimetière: je n'y trouverai jamais ce que j'y chercherai.

— Vous n'avez pas de raison.

— Vous êtes insultant sans raison…

— Je veux dire… vous vous trompez.

— Ah. Selon vous, je n'ai pas raison…

— Parce que vous oublierez le visage de votre bébé.

L'accusation de Nistor fit mal à Chloé. Elle se sentit soudain comme une mauvaise mère pour Théo et, frissonnant, ramena les pans de son manteau autour d'elle. S'apprêtait-elle sérieusement à négliger Théo, à l'abandonner froidement ? Son petit guérisseur intérieur – le pendant romantique de l'instinct de survie – lui dictait que, pour guérir, une blessure d'amour ne devait pas être ravivée tous les jours. Il n'était jamais venu à l'esprit de Chloé de retourner au cimetière au lendemain ni même au surlendemain de l'inhumation. Au-delà de sa volonté de se remplir les yeux de la petite pierre tombale, elle pressentait que le quotidien reprendrait ses droits : ne devait-elle pas défaire la chambre d'enfant, rassembler tous les articles de bébé éparpillés aux quatre coins de la maison, téléphoner à la garderie pour faire radier le nom de son fils de l'infinie liste d'attente, se désabonner des sites mère-famille, annoncer la nouvelle aux amis à l'étranger, rédiger les cartes de remerciement pour les attentions reçues, empaqueter ses vêtements de grossesse… ? Le vertige la prit devant l'ampleur et le symbolisme de la tâche. Elle n'en finirait jamais de dire au revoir. Elle avait mis huit mois à faire une place dans sa vie à ce bébé annoncé et voilà qu'elle comprenait qu'il laissait, malgré son passage éclair dans son existence, une trace indélébile. Elle n'avait pas saisi avant cet instant que les neuf mois d'une grossesse servaient précisément à embrasser la vocation parentale et que, dès lors, cette identité nouvelle vous collait à la peau pour toujours, tout comme le fait d'avoir dix-huit ans faisait sans appel de vous un adulte.

Ses pensées revinrent à Nistor. Bien qu'elle n'ait de guide qu'une intuition – cet instinct guérisseur qui devait subodorer le plus court chemin vers son bonheur –, Chloé doutait du bien-fondé de la démarche de Nistor. Elle se devait de comprendre les rouages de son esprit pour justifier ses propres motifs.

— Pourquoi croyez-vous que j'oublierai les traits de mon bébé?

— C'est logique. La mémoire croît avec la douleur. Mon père me disait qu'il suffit de frapper un enfant ou un élève qui désobéit pour voir avec quelle rapidité il se souvient d'une leçon. Si vous n'allez pas pleurer quotidiennement votre bébé, vous l'oublierez, même vous, sa mère.

— D'où venez-vous? questionna Chloé plus brutalement qu'elle ne l'aurait voulu.

Corriger un enfant de cette manière n'était pas encouragé dans les mœurs québécoises. Cette tendance au châtiment corporel trahissait-elle les origines étrangères de Nistor ou s'inscrivait-elle dans sa justification de la douleur à la suite de la perte de son enfant? Chloé tentait de faire la part des choses entre ce qui appartenait aux valeurs du pêcheur et ce qui relevait de son deuil mal géré.

— Roumanie. D'où je viens, la famille est la richesse de l'homme. Si on m'a volé un enfant, je lui dois au moins le souvenir.

— Mais entretenir son souvenir ne doit pas vous invalider.

— Je ne vois pas comment je peux être heureux si mon enfant est mort.

— Je ne vois pas comment le fait de ne pas être heureux sert sa mémoire.

Chloé eut l'impression que, comme un poisson, Nistor sautait de la poêle sur la braise, fuyant un malheur pour un autre. La fatalité avait frappé à son adresse et, plutôt que de refermer la porte pour panser ses plaies, il la lui ouvrait toute grande et l'invitait à souper. Qu'était-ce que ce genre d'homme ? Il devait se complaire dans cet état d'âme. Mais pourquoi ? À moins que…

— Votre deuil ne suffira jamais à expier la faute de quiconque, vous savez.

Nistor fut piqué.

— Et si, moi, j'étais heureux dans ce *mood*-là ?

— Vous ne pensez pas que, en ce moment, vous dormiriez dans votre chambre si c'était le cas ?

— Mon père répétait que celui qui ne connaît pas la souffrance ne connaît que la moitié de l'Univers.

— Ah ! Parce que, pour vous, pleurer votre garçon tous les jours est une question de culture !

Nistor se choqua franchement.

— Je ne sais pas ce que vous cherchiez quand vous vous êtes arrêtée ici, mais je sais qui vous êtes. Restez vous-même, mais pas avec moi. Je n'ai pas besoin d'un cours sur le bonheur. Croyez-moi, je sais comment trouver le paradis : le paradis, c'est moi et mon péché, ici et ailleurs !

Chloé elle-même n'était pas certaine de ce qu'elle cherchait en poussant Nistor dans ses derniers retranchements. Théo, comme Mihai, était décédé intestat, la laissant aussi désemparée que cet homme face à une redéfinition du bonheur. Elle ne voyait pas non plus très bien si la référence de Nistor au péché venait d'une confusion de langue – se percevait-il plus pêcheur ou pécheur ? – ou bien s'il traînait un boulet de culpabilité inavouée. Enfin, elle perdait clairement son temps. Elle n'avait aucun motif de s'investir dans la vie de cet inconnu et choisit de se retirer. Cela dit, dans le geste de colère esquissé par Nistor, elle avait perçu un éclat métallique qui lui avait rappelé l'hameçon planté dans le pouce du pêcheur, réveillant sa propre part de culpabilité.

— Vous avez raison, dit Chloé en rendant à son propriétaire la petite tasse de plastique dans laquelle elle avait bu le café. Je vais m'en aller, mais avant, laissez-moi juste vous aider à retirer l'hameçon de votre doigt.

— Ce ne sera pas nécessaire.

— Mais il faut bien l'enlever.

— Plus tard.

— C'est ridicule. Vous ne pourrez ni pêcher ni rassembler votre gréement arrangé comme ça.

— Ça me regarde.

— Ah ! Je commence à saisir. Ce n'est pas tant que vous trouvez une grandeur dans la douleur ou même l'occasion d'une pénitence, comme je le croyais. C'est pire.

— Je ne comprends rien quand vous jappez.

Chloé pardonna l'injure.

— J'ai d'abord pensé que vous aimiez l'image romantique du plaintif, comme ces enfants qui quêtent de l'attention.

— Ma fille fait ça, avoua Nistor, s'ouvrant tout à coup.

— Votre fille ? Vous avez une fille !

— Qu'y a-t-il de si spectaculaire ?

— Vous parliez comme si, pour vous, n'existait que votre garçon.

Chloé s'en voulut d'avoir formulé ainsi son idée – quelle absurdité que de parler d'existence pour évoquer un mort ! –, mais l'étonnement avait eu raison de sa retenue.

— Eh bien, non. J'ai aussi une fille. Quand sa mère la chicane, elle se met parfois à pleurer en disant : «Je m'ennuie de mon petit frère…»

— Elle vous manipule, non ?

— Sans doute, mais comment en être sûr ? C'est possible qu'elle souffre comme nous de l'absence de Mihai. On ne résiste pas.

— Vous ne seriez pas de mauvais parents en la réprimandant. Votre fille n'est encore qu'une enfant qui tente de profiter d'une situation donnée. Si ça se trouve, elle le fait sans émotion.

— Vous réfléchissez trop. C'est énervant.

— C'est ça, alors ? Vous êtes convaincu d'avoir été un mauvais père ?

Nistor ignora la supposition de Chloé. Il s'était pris la tête entre les mains. La jeune femme le sentait fatigué, quelque peu déboussolé. Comme pour s'accrocher à quelque chose de concret, il pêcha au fond de la petite sacoche un paquet de papier aluminium, le déballa et tendit à Chloé, telle une invitation inopinée à rester, un mets qui avait les allures de cigares au chou.

— *Sarmale ?* offrit Nistor.

— Ça semble bon, mais est-ce qu'il y a des tripes de veau ou de la langue de porc dans ce plat?

Nistor haussa les épaules, insensible au fait que Chloé fafine tant, celle-ci étant sans doute surprise que la sacoche de pêche devienne pour elle la même boîte à lunch que pour les carpes.

— C'est ma femme qui les prépare. D'habitude, c'est pour Noël... Je ne comprends pas sa manie de faire un souper de fête pour se rappeler la date de l'accident.

Au fond d'elle, Chloé pouvait voir pourquoi.

— Porc, légumes, riz, énuméra Nistor alors qu'elle tendait la main pour prendre un des rouleaux.

Ce n'est pas tant que la faim la tenaillait – le soleil ne se lèverait que dans une heure ou deux –, mais Chloé estimait que s'il y avait une chance qu'elle sorte de l'embâcle dans lequel elle se trouvait, ce serait en ne négligeant pas sa santé. Elle était consciente qu'une part de ses pensées lui était dictée par son état physiologique. Comme le risque de dépression postpartum qui la guettait. Si l'épuisement se mêlait aux hormones et au chagrin, alors elle n'y verrait assurément plus clair et se condamnerait elle-même au calvaire.

Pendant quelques instants, on n'entendit que la symphonie des grillons à travers les plantes herbacées qui reconquéraient la berge après la suprématie de l'hiver. «C'est un homme bon», pensa Chloé en jetant un coup d'œil de côté à Nistor Martisor. Elle partageait tout de même, en plein cœur de la nuit, le repas d'un homme entrevu dans une autre vie. Elle se dit que, au fond, la peine le rendait maladroit. «En fait, se reprit-elle, la peine rend égoïste.» Elle percevait en Nistor un homme de bonnes manières, cultivé, au passé riche de paysages. Cependant, elle avait vu qu'il pouvait se montrer borné et offensant dès lors que les détours de la conversation le désarmaient face à son vécu avec son fils. Chloé se demandait s'il n'en était pas de même dans son cas. Qu'auraient dit d'elle ses proches si elle avait accepté davantage leur diligence de l'épauler dans le pire? Elle admettait qu'elle était sur les dents depuis que la vie lui avait fait un coup bas, et ils seraient vraisemblablement gênés de lui dire combien elle n'avait plus de façon, combien elle était cassante et si peu généreuse. Chloé considéra de nouveau Nistor, qui mastiquait mécaniquement le repas qu'une femme dévouée comme à un fils lui avait préparé. Comment pouvait-il refuser de reconnaître la peine de son épouse? En regardant cet homme, elle voyait le sentier à ne pas emprunter, mais ne se résolvait pas à le laisser à lui-même.

— Vous avez peur, Nistor.

Le pêcheur leva les yeux au ciel, feignant d'être découragé par les propos de Chloé.

— Laissez-moi finir. Imaginez qu'au lieu d'un hameçon un peu trop entiché de votre doigt, le problème de votre pouce soit une engelure. Vous ne ressentez aucun mal, donc votre réflexe est de ne rien faire pour changer les choses. Seulement, vous vous doutez qu'à long terme, vous condamnez cette partie de vous à mourir: votre pouce blanchi noircira, puis viendra la gangrène, et il tombera finalement au combat – peut-être avec vous. Par contre, si vous laissez dégeler votre doigt, vous savez que ce sera douloureux, mais aussi que c'est la seule façon de le sauver et d'en jouir à nouveau normalement.

— C'est un hameçon que j'ai bord en bord du pouce…

— Que vous êtes de mauvaise foi ! Je l'sais, que vous n'avez pas le pouce congelé ! J'essaie de vous dire que vous réagissez pareillement dans toutes les situations. Vous tolérez d'avoir un hameçon dans le pouce comme de vivre un entre-deux-vies sans Mihai.

— Des poètes roumains prétendent que celui qui craint la mort perd la vie.

— Vous résumez efficacement les choses.

Nistor resta silencieux.

— C'est instinctif de vouloir éviter la souffrance comme vous le faites, mais ça finit par donner des allures de mort-vivant. Je suis sûre que lorsque vous allez au cimetière, vous racontez votre journée à votre fils, vous lui apportez des Smarties ou je ne sais quoi les jours où vous êtes particulièrement de bonne humeur, vous…

— Arrêtez.

Nistor semblait abattu, les épaules voûtées comme un vieillard qui en a trop vu, trop entendu.

— Comment savez-vous tout ça ?

Chloé haussa les épaules.

— C'est tout ce que j'aurais envie de faire… J'écoute vos douleurs, mais je n'entends que les miennes.

L'homme avait sorti de sa poche une petite voiture de Formule 1 aux couleurs du pilote Kimi

Raikkonen. Il la tournait et la retournait affectueusement dans sa main valide. En de nombreux endroits, le gris acier remplaçait le rouge vif tant le jouet était usé.

— Vous n'avez pas idée de la valeur de ce jouet pour moi. Je le porte toujours *avec* moi alors que ma femme ne supporte plus de le voir. Je ne sais plus combien de fois je me suis mis en retard à des rendez-vous pour l'avoir oublié dans une veste au lavage. Si je ne l'ai pas, je ne vous dis pas comment je me sens mal.

Chloé reconnaissait le déchirement qu'elle avait vécu quelques heures plus tôt en devant se séparer du toutou de Théo. Elle avait d'abord été honteuse de se sentir comme une enfant à qui on confisque sa suce, égarée et dépossédée, mais elle s'était rappelé que les infirmières des cours prénataux encourageaient les nouvelles mamans à déposer près de leur poupon un vêtement porté ou un toutou avec lequel elles auraient dormi pour que le nouveau-né retrouve l'odeur de sa mère, pour perpétuer sa présence… Elle avait compris que la projection qu'elle faisait à travers la peluche était le même réflexe : par une illusion, elle tentait de rendre moins définitive la séparation. C'était une manière d'apprivoiser l'impression atroce de l'arrêt, de la censure d'une existence, du démenti d'être.

— À notre sortie de l'hôpital, continua Nistor, la psychologue nous avait dit que le deuil pourrait durer deux ans… Ça fait deux ans, et je ne sais toujours pas ce que je suis supposé faire pour me sentir moins abandonné.

— Abandonné ?

— Mauvais mot. Je veux dire… moins triste.

— Votre français est excellent. Je crois que vous vouliez réellement dire « abandonné ».

Nistor ne le contesta pas.

— Peut-être. Je ne peux pas sortir de ma tête que Mihai est parti avant le temps.

— Mihai ne vous a pas abandonné. C'est vous qui avez abandonné votre femme, votre vie d'avant et qui ne trouvez plus vos repères.

— J'ai été un mauvais père et je suis un mauvais mari.

— Ce n'est pas ce que j'ai dit.

— Ce n'est pas loin de la vérité.

— Donc, c'est vrai que vous vous sentez coupable, en quelque sorte.

— Comment ne pas l'être ? Je n'ai pas su protéger mon fils.

— Vous vous croyez plus responsable de sa mort que votre femme ?

Devant l'absence de réponse de Nistor, Chloé continua :

— Je comprends mieux pourquoi vous vous estimez plus malheureux qu'elle, mais c'est une illusion de croire qu'on peut tout contrôler. On vit à une époque où l'humain possède une telle emprise sur son environnement qu'il est difficile d'accepter qu'on n'ait pas toujours le dernier mot avec la vie.

— Que j'aie échoué à protéger mon fils est la seule explication valable.

— C'est faux, Nistor. Ce n'est pas la seule valable, c'est la seule rationnelle à vos yeux. Je n'ai personnellement pas encore trouvé de sens à la mort de mon fils, mais je me doute bien que tous les parents n'y parviennent pas non plus et qu'on peut y passer le reste de sa vie.

— Après deux ans, j'aurais tout de même pensé m'être refait une vie. Il semble que ce ne soit pas le temps qui compte, mais ce qu'on fait avec le temps.

— C'est évident que le temps seul ne guérit pas. Vous ne pouvez pas rester passif continuellement en espérant vous sentir mieux. « Tout ce qui traîne se salit. »

— Vous avez une façon de parler de la mort de mon enfant que je n'aime pas.

— Écoutez, Nistor. On trouve indéniablement une beauté à la tristesse : toutes ces histoires de femmes éplorées à la suite de la disparition de leur amant, c'est romanesque mais suranné…

— Mais quoi ?

— Démodé. Vous voyez ce que je veux dire ? On peut s'épancher – on *doit* s'épancher –, à la condition que cette tristesse soit passagère. Je dis ça parce qu'une partie de moi refuse de jouer les pleureuses pour le reste de mes jours. Il me semble que mon enfant n'aurait pas voulu d'une mère triste. Je crois que c'est une erreur d'entretenir l'état de deuil comme une preuve d'amour. Ne jouez pas les princesses.

— Vous parlez de ça comme si c'était volontaire, s'offusqua Nistor.

— Ce doit l'être.

Au loin, une autre carpe sauta. À ses pieds, Chloé devinait des écrevisses qui vadrouillaient. De temps à autre, un ouaouaron lançait un cri d'amour guttural. Il était curieux de prendre conscience combien la vie battait son plein tout autour d'eux alors qu'eux-mêmes étaient plongés dans l'obscurité. Nistor redressa subtilement les épaules, une tension semblant sur le point de se relâcher. Il regarda Chloé.

— C'est inutile de se demander «Pourquoi?», mais j'aimerais savoir «Et ensuite?», se risqua-t-il.

Chloé vivait un trop grand désarroi pour conseiller cet homme qu'elle connaissait à peine. Mais elle pensa illico à la femme de Nistor, cette autre mère qui, comme elle, avait dû rendre son fils au destin. Comment Nistor avait-il pu se détourner du seul être qui pouvait si parfaitement partager sa souffrance? Bien sûr, des époux ne vivent pas au même instant les mêmes émotions – Chloé en savait quelque chose –, mais il existe une compréhension mutuelle qui rend les individus plus forts que s'ils étaient seuls.

— La première chose à faire, à mon sens, c'est de vous réconcilier avec votre femme. Vous ne pouvez pas vous permettre de la perdre aussi. Vous avez vécu différemment la disparition de votre enfant, mais c'est ensemble que vous formerez une nouvelle famille. Enfin…, se reprit Chloé en pensant à la petite fille de Nistor, que subsistera votre famille.

— J'aime ma femme, mais elle me rappelle trop mon fils.

— Si vous aviez un autre enfant maintenant, vous seriez tout aussi incapable de ne pas voir Mihai à travers lui.

— Ma femme en désirait un autre. Je n'ai rien voulu entendre. Je ne voulais pas remplacer Mihai.

— Pourtant, un autre bébé, c'est la preuve que la vie suit son cours…

— Mais je sens que je ne peux pas supporter plus de douleur !

— Il vous faudra bien dire au revoir définitivement un jour !

La respiration de Nistor devint à nouveau plus difficile. Cherchant à attraper sa pompe dans sa veste, il retira vivement la main de sa poche lorsque l'hameçon oublié, toujours enfoncé dans son pouce, le fit souffrir et grimacer. Il perdit patience.

— Voyez dans quel état vous m'avez mis ! Je ne me suffis plus à moi-même, articula-t-il, à bout de souffle.

— Laissez-moi vous donner un coup de main…, proposa Chloé en faisant mine de se lever.

— Pas question. Vous croyez m'aider avec toute cette histoire autour de Mihai, mais je me sens plus mal qu'avant votre arrivée, sans compter que ce sont vos maladresses qui m'ont handicapé. Je crois bien pouvoir me passer de vos services. Il est temps, jeune fille, de retourner au lit.

Le ton paternaliste de Nistor ne manqua pas d'insulter Chloé, ce qu'il cherchait sans doute à faire, d'ailleurs. À cet instant, elle se demanda combien de problèmes dans la société découlaient de deuils non résolus. Mais elle n'était pas travailleuse sociale ou psy, comme ce dont Nistor l'avait taxée plus tôt. Elle était elle-même endeuillée et n'avait pas l'énergie pour prendre en charge le chagrin des autres.

— Comme vous voudrez. Continuez à vous faire plaindre par les gens qui vous aiment, c'est touchant. Et n'oubliez pas de faire renouveler votre ordonnance pour votre pompe, car vous n'avez pas fini de somatiser votre angoisse !

— Facile pour vous de parler ! lança Nistor, qui avait mis la main sur son médicament. Vous croyiez que nos peines étaient comparables : à votre tour de vous mettre le doigt dans l'nez !

Chloé sourit malgré elle.

— Le doigt dans l'œil.

— Vous pouvez bien vous le mettre où vous voulez !

Nistor marqua une pause, comme pour mieux assener le coup final.

— Quand vous serez une vraie mère, on se reparlera du deuil.

Chloé se serait effondrée sous le fardeau de sa croix si elle n'avait ressenti une colère suffisante pour relever le menton.

— Vous êtes dur de comprenure ! C'est pitoyable cette surenchère du malheur ! Vous me rejouez la carte du plus malheureux parce que vous n'avez rien compris. Nous pleurons la même chose : ce ne sont pas seulement un fœtus et un enfant de trois ans qui sont morts, ce sont des vies entières qui ne seront pas vécues. Nous avons tous les deux à faire le deuil de *l'avenir*, et ça, plus que toute autre chose, ça fait mal.

Nistor était réduit à quia. D'abord saisi, il avait ensuite semblé acquiescer aux paroles de Chloé. Il tenait toujours sa canne à pêche, le pouce raide en l'air. Ne sachant trop si elle poussait le bouchon trop loin, la jeune femme continua :

— Que vous l'admettiez ou non, Nistor, vous vous êtes emmuré vivant. Oubliez tout ce dont on a discuté si vous voulez mais retenez une chose : vous avez eu la chance de connaître votre fils trois ans durant – c'est de l'or en barre, à mes yeux. Si on vous avait proposé avant sa naissance d'adopter Mihai avec cette contrainte de temps, qu'auriez-vous répondu ?

— C'est une évidence, non ? J'aurais dit oui, dit Nistor avec aigreur.

— Alors, c'est tout c'qui compte.

Chloé se pencha pour ramasser son pochon, prête à tourner les talons. Contre toute attente, Nistor la retint.

— À quoi vous vous raccrochez, vous, si vous n'avez pas connu votre garçon ?

— Je me dis que j'ai profité de chaque instant auprès de lui, que j'aurai accompli mon rôle de parent jusqu'au bout. Et vous le savez, une grossesse recèle quantité de moments heureux ; je dois me les rappeler.

— Vous pourriez aussi vous dire qu'il fait partie de votre famille autant que les arrière-grands-parents que vous n'avez pas connus.

— Oh, un peu plus quand même, répliqua Chloé. J'ai parfois l'impression que c'est une partie de moi que je mettrai en terre demain… tout à l'heure, rectifia-t-elle avec un regard superflu à la montre qu'elle ne portait plus.

Elle resta silencieuse un moment. Nistor se leva, l'invitant d'un geste à reprendre sa place sur la pierre. Elle enterra la hache de guerre et s'installa, le regardant rouvrir sa sacoche de pêche, choisir un nouvel hameçon et jouer des pinces pour remettre la ligne en état. Chloé reprit :

— Ce n'est pas tant de me rappeler mon bébé qui me pèse, c'est le temps.

— Le temps ? Je ne vois pas pourquoi.

— À trente-cinq ans, aux yeux de la médecine, on entre dans une nouvelle catégorie : on hésite à nous prescrire la pilule anticonceptionnelle, on nous fait savoir que les probabilités de concevoir un enfant en deux ans piquent du nez, on insiste davantage pour nous faire passer des amniocentèses, on...

— *Bullshit*. J'ai une cousine qui a eu son petit à quarante-deux ans et, selon elle, les femmes qui accouchent à quarante ans sont trois fois plus nombreuses aujourd'hui que le jour où votre mère vous a mise au monde. À notre époque, les médecins se fient bien davantage à l'état de santé pour accompagner les femmes dans des grossesses tardives. Et vous, nota Nistor en enrobant l'hameçon neuf d'un ver vigoureux, vous me semblez avoir encore de belles années devant vous.

— Vous ne comprenez pas. Je ne veux pas faire partie des statistiques.

— On fait tous partie d'une statistique.

Nistor lança sa ligne à l'eau et, faisant abstraction de son pouce aux proportions incontestablement augmentées, maintint la canne d'une main.

— J'avais tout accompli avant de m'engager dans ce projet de bébé : les études, les voyages, la carrière, la maison... Moi qui voulais trois ou quatre enfants, je viens de perdre deux ans de fertilité.

— Si vous vouliez tant que ça votre équipe de football, il fallait faire d'autres choix.

— Mais je ne les fais pas toute seule, ces bébés !

— Alors, adaptez-vous.

À cet instant, Nistor se figea, soudain tendu comme un limier sur la piste d'une proie. Toute son attitude trahissait le fait qu'il venait de sentir une touche au bout de sa ligne. Même si la pleine lune diluait la nuit, Chloé ne voyait pas très bien où l'action devait se passer. Quelques secondes s'écoulèrent, puis Nistor tira prestement sur la canne. Un sourire quasi imperceptible dans la lumière diffuse de la lampe à gaz fit comprendre à Chloé qu'il avait ferré son poisson. Le pêcheur était attentif aux directions que prenait l'animal, jouant avec les tensions qu'il influait à la ligne. Le combat durait depuis quelques minutes lorsque le grand poisson fit tout à coup un bond, se décrocha et reprit le chemin de la liberté. Nistor n'eut pas même un soupir. Il rembobina la ligne et chercha dans un pot un nouvel appât à condamner sur l'hameçon.

— Au poker de la vie, vous décidez de la stratégie, mais vous ne choisissez pas vos carpes… cartes, se reprit Nistor. C'est ce que vous sous-entendiez vous-même : faites pour le mieux avec la main que vous avez, ironisa-t-il, un regard à son doigt meurtri. C'est pareil pour la compétition et la santé, pareil pour les bébés et la pêche, ajouta-t-il, fixant cette fois l'endroit où sa prise s'était évanouie dans la noirceur des eaux.

— Je comprends qu'on ne puisse pas tout contrôler, mais je reste frustrée de ne pas jouir d'un bonheur que je touchais presque. Et maintenant, je vois des femmes enceintes qui auront droit à ce bonheur avant moi, qui ont commencé à écrire l'histoire de leur famille. J'ai perdu ma place dans l'ordre des choses. J'ai l'impression d'avoir manqué ma sortie sur l'autoroute.

— Votre temps n'était pas venu.

— Mais il l'était pour tous les autres couples autour de moi qui ont eu un bébé en santé ? C'est difficile de ne pas se demander ce qu'on a fait de travers pour être ainsi privée de sa maternité. Vous en connaissez beaucoup, vous, des histoires comme la mienne ?

— Non. Ça peut en effet sembler rare… chez les humains, ajouta Nistor, donnant l'air de réfléchir. Chaque printemps, je trouve près du canal des oisillons tombés du nid. Très souvent, vous savez, ce sont les mères qui repoussent les plus faibles. Je crois que votre…

— Théo, il s'appelait Théo.

— Je crois que Théo est tombé en bas du nid.

L'image était singulière, mais Chloé la reçut agréablement, avec douceur. Puis, sans vouloir abdiquer, elle se remit à disséquer ses sentiments.

— C'est simplement que, moi, je ne m'y fais pas. Je n'ai pas cinq autres becs qui piaillent pour me distraire de ma peine.

— J'avoue qu'aujourd'hui, les familles sont petites. Chaque drame est encore plus dense.

Nistor lançait la ligne et la ramenait dans un mouvement régulier. Il semblait depuis peu incroyablement calme, voire apaisé, et Chloé percevait que la discussion avait pris un nouveau rythme.

— Oubliez ces histoires animalières. Si je n'avais pas l'impression que mon cas est si isolé, il me semble que j'aurais moins mal en dedans.

— N'espérez pas amener de tels sujets sur la place publique, Chloé. La mort révolte. Vous effrayeriez bien trop de parents pour le peu que vous éduqueriez.

— Mais j'aimerais savoir combien d'autres couples sont dans ma situation. À quelle fréquence un obstétricien doit-il faire face à pareille tragédie ? Pourquoi ces données-là ne sont pas disponibles ?

— Peut-être parce que personne n'a jugé que vous y trouveriez un réconfort quelconque. Ce ne sont pas les nombres qui soignent, plutôt les mots. Et je ne crois pas non plus que connaître la situation des autres soit nécessaire à votre guérison. Regardez comment vous avez réagi à mon histoire, fit voir Nistor, à peine sarcastique.

— Ce que vous dites est plein de bon sens.

— Vous l'avez remarqué tout à l'heure : même dans le chagrin des autres, on pleure sa propre peine, rappela le pêcheur.

— Autant me faire à l'idée qu'on ne traverse pas la vie sans cicatrices. Voilà qui devrait normaliser mon cas !

Nistor rit.

— En même temps, je ne dois pas me faire d'illusions, continua Chloé, presque pour elle-même. Je sais qu'un deuil suit le mouvement des vagues et que, en plus, je n'ai jamais été aussi exténuée de ma vie. Comment voulez-vous que j'aie l'esprit clair ? La preuve, je suis obnubilée – carrément obsédée, j'vous dis ! – par l'idée de redevenir enceinte, même si je sais pertinemment que mon corps doit récupérer de la première grossesse.

— Vous vous débrouillez quand même assez bien, pour une fille qui prétend avoir des illusions.

— J'en avais. Je me dis maintenant plutôt désillusionnée. Vous m'avez encouragée avec votre point de vue sur la médecine, mais je crains que redevenir enceinte ne soit franchement difficile. J'ai longtemps supposé – durant toute ma vingtaine, en fait – que j'avais la santé pour être enceinte quand je le voudrais. Mais j'ai ensuite compris que j'avais peu de contrôle là-dessus. Quand mon test de grossesse s'est avéré positif, j'ai cru que j'en avais fini de pleurer chaque mois à l'arrivée de mes règles. Depuis que j'ai perdu Théo, j'ai peur de pleurer tous les jours du mois…

Nistor cessa de courtiser le poisson et regarda Chloé, pour la première fois compatissant.

— Je ne suspectais pas cette réalité. Je comprends mieux pourquoi vous disiez que le temps joue contre vous.

— Et ce n'est qu'un de mes traumatismes, disons-le comme ça.

— Qu'est-ce qu'il y a d'autre qui vous empêche d'aller de l'avant ?

— Je ne cesse de compter. Imaginez que je vive quatre-vingts ans : calculez ce que font vingt-quatre heures par jour, trois cent soixante-cinq jours par année, plus les vingt jours qui viennent ponctuer autant d'années bissextiles… Que seront les cinq heures que j'aurai passées avec mon fils à la fin de ma vie ?

— Des heures mémorables ?

— Sans doute. Je rumine aussi l'idée que mon bébé est décédé la veille de sa naissance. Pouvez-vous me dire laquelle de ces dates je suis supposée souligner l'an prochain ?

— C'est toujours l'anniversaire de naissance des génies disparus qu'on célèbre, comme les deux cent cinquante ans de Mozart. Je ferais la même chose.

— Et qu'écrira-t-on sur la pierre tombale ?

— Ne faites pas de tam-tam.

— De tam-tam ?

— N'en faites pas toute une affaire, je veux dire. Inscrivez juste l'année.

— Je ne démords pas de l'impression d'avoir perdu une fenêtre d'opportunités en renonçant à mon congé de maternité. Je voulais en profiter pour changer de rythme, pour faire bifurquer ma carrière, pour...

— Faites de nouveaux projets, choisissez-les « aussi épeurants qu'exaltants[11] », soyez créative.

Chloé se tut, interloquée.

— Ça semble si simple pour vous, dit-elle après un instant.

— Vous êtes... Vous faites trop attention au temps qui passe et aux nombres auxquels on l'associe. La vie, au fond, ce n'est que ça, du temps. Vous ne pouvez pas gérer votre existence comme la cloche gère l'horaire d'une maîtresse d'école. La nature prend son temps, surtout pour soigner.

---

11. Jean Monbourquette, *Grandir, aimer, perdre et grandir*, Montréal, Novalis, 1994, 165 p.

— Mais…

— Vous avez du « directrice » dans le nez et, sur ce coup-ci, il vous faut lâcher prise.

— Je ne suis pas mieux que vous, vous savez. Je ne sais pas quoi faire, confessa Chloé.

— Inspirez-vous des carpes, plaisanta Nistor. Restez combative ; jetez votre montre, vos calendriers ; faites ce qui vous plaît. Faites-vous la paix, Chloé ! Vous devriez profiter de votre nouvelle liberté. En ce moment, que seriez-vous en train de faire si vous aviez eu ce bébé ?

— Ouf ! Je me la pose cent fois par jour, cette question. Même que, quand j'ai un pépin, je me mets à pleurer en me disant que ce n'était pas ce que j'étais supposée faire.

— Et alors ?

— Je courrais après toutes mes heures de sommeil, j'allaiterais dès que je serais sur le point de m'endormir et j'oublierais toujours quelque chose d'essentiel dans le foutu sac à couches.

— À vous, maintenant, de tirer parti du sursis que vous accorde la vie. Donnez-vous le droit de faire des choses que vous n'auriez pu faire si les événements s'étaient déroulés autrement.

Chloé hocha la tête, signifiant qu'elle comprenait le propos de Nistor.

— Dans ce cas, j'imagine que j'aurai l'audace de vous demander si votre magasin est ouvert le samedi.

— À votre avis ?

— Vos heures d'ouverture doivent être soumises à la météo. Qu'annonce-t-on demain ?

— Soleil.

— Oh, fit-elle, dépitée.

— Je blague, Chloé. Allez au bout de votre courage.

— Accepteriez-vous d'être présent aux funérailles de Théo ?

— Vous êtes généreuse, mais je vous rappelle que j'ai un anniversaire spécial à souligner demain. Votre invitation me fait plaisir, mais je crois que ma place est auprès de ma femme et de ma fille.

— Oui. Oui, bien sûr, balbutia Chloé, piteuse de s'être laissée émouvoir.

Nistor ramena sa ligne et rangea du mieux qu'il put son matériel de pêche. Il n'avait pas réussi à mettre un poisson dans l'épuisette, mais ne donnait pas l'air d'en être déçu. Il s'approcha de Chloé et lui tendit avec confiance son pouce affreusement enflé.

— Ça va faire plus mal sur le coup, mais vous allez guérir et on en rira l'été prochain, lui dit-elle.

Nistor Martisor lui fit un clin d'œil.

— *Idem* pour vous.

Et Chloé tira.

CHAPITRE 6

LE LOCATEUR DE CHIENS ET L'APPARENCE

Un soleil peu téméraire pointait, éclairant avec un éclat variable les mille facettes de l'existence des citadins, chacun plus ou moins conscient de la relativité du temps. Le long du boulevard se succédaient de façon étrangement linéaire des vies qui, en même temps, gravitaient sur leur propre orbite. 8 h 01. L'instant, qui n'était concret que sur un cadran, pouvait faire basculer la vie des uns ou passer inaperçu dans celle des autres.

Pour certains, à cette heure-là, il n'était question que d'habitude : une jeune femme quittait précipitamment l'entrée d'un complexe de condos, un tapis de yoga sur l'épaule, pour un cours programmé ; par une fenêtre, la promeneuse entrevoyait deux enfants qui applaudissaient le début d'une émission de télé ; une femme à l'air préoccupé, dans la cour suivante, avait lancé des sacs sur la banquette arrière de sa voiture et patientait maintenant derrière le volant que le trottoir soit libre pour partir faire les courses avant la cohue.

Pour d'autres, l'instant présent était voilé d'un regard sur le passé : au coin de la rue, un homme barbu inspectait des travaux faits la veille à son balcon ; un peu plus loin, une vieille dame, rapidement dépassée, était en arrêt devant les lieux vides d'une ancienne église démolie.

Et il y avait aussi tous ces autres pour qui cet intervalle de soixante secondes n'était qu'un tremplin vers le futur : à l'intersection d'une importante artère, sur un site commercial, un entrepreneur pendu à son cellulaire fulminait à propos d'une commande non encore reçue, s'inquiétant pour la finalisation des travaux ; à l'arrêt d'autobus, un jeune homme assis sur un immense sac à dos regardait sa montre, la tête occupée à anticiper son voyage ; à sa droite, un homme un peu plus mûr jugeait la marcheuse, à l'affût d'une candidate à l'amour ; sur le grillage de fer qui courait le long d'un terrain gazonné, un ballon rebondit, rapidement récupéré par une joueuse de soccer qui s'entraînait avant un tournoi imminent.

En de rares occasions, le boulevard devenait le lieu de rencontre de ces vies qui s'entrecroisaient à la suite d'un rendez-vous donné, d'un accident de parcours ou d'une politesse échangée, mariant autant d'espaces-temps.

Pour Chloé, qui marchait sans ralentir, les secondes étaient ces interstices qui rayaient aussi régulièrement qu'un métronome la bande bétonnée du trottoir. Elle n'avait dormi qu'une couple d'heures avant de renfiler son manteau pour se rendre à la boutique de Nistor le Pêcheur, un papier à la main. Encore habitée de sa conversation avec lui, Chloé était revenue à son idée de lui transmettre les coordonnées pour les funérailles de Théo. Une telle invitation

– de surcroît réitérée – n'avait aucun sens, mais elle tirait une étrange satisfaction à agir impulsivement, sans les brides habituelles de la raison. Elle avait fait la livraison et, le temps de le dire, avait repris le chemin en sens inverse avec la même résilience.

Elle traversait toutes les intersections sans un regard au-dessus de son épaule. «Je suis dans mon droit», pensait la piétonne, en toute impunité. Une voiture, pourtant, tourna trop rapidement au coin d'une rue, et Chloé dut faire prestement un pas en arrière pour éviter que le rétroviseur ne la frappe et ne la projette au sol. Quand les deux parties flirtent avec les limites, personne ne juge nécessaire de s'excuser. La voiture fila sans ralentir.

Chloé resta saisie, le regard posé un pas plus loin, là où la roue arrière de la voiture aurait pu faire une crêpe de ses orteils. À quelques centimètres de là, quelqu'un avait abandonné un sou chanceux, première victime de l'inflation. Machinalement, Chloé le ramassa. Elle ne croyait pas à la chance que certains associaient à de telles découvertes, mais ce matin-là, elle ne voulait pas non plus prendre *la chance* de passer à côté... au cas où.

Tout en gagnant le trottoir opposé, elle tâcha de lire l'année de frappe de la pièce. Pour les initiés, il était fascinant de penser qu'un sou pouvait atteindre jusqu'à cinquante mille fois sa valeur de départ, la rareté, l'usure et le nombre d'exemplaires frappés étant alors, dans un système soumis à l'offre et la demande, autant de facteurs déterminants. Mais c'étaient les erreurs de frappe qui, le plus fréquemment, augmentaient la valeur d'une pièce.

Celle-ci pouvait présenter des défauts, comme des dépôts de métal, des bulles de gaz emprisonnées ou une empreinte faible. Chloé affectionnait particulièrement le modèle de la Harpe – cinq lignes parallèles de longueurs inégales qui apparaissaient entre le chiffre 1 du « 1 cent » et la feuille d'érable, un défaut qui n'existait que sur la cenne de 1962. 1969 était également une année spéciale puisque, à la suite d'une erreur de manutention, de nombreuses pièces s'étaient retrouvées avec le revers sur l'avers. Mais, dans les faits, il y avait peu de probabilités que circulent toujours de telles pièces, trop aisément repérables.

Chloé dut frotter le sou de cuivre entre ses doigts pour le décrasser et jeter un coup d'œil sans conviction à l'année inscrite sur le côté pile. Sauvé de la circulation, le sou noir avait les flans si abîmés par son séjour sous les pneus que sa valeur ne dépasserait pas celle de son métal. Il datait de 1980, époque des premiers vidéo-clips, alors qu'on lisait encore les lettres URSS sur les mappemondes, que les dauphins se comptaient en nombre dans le fleuve Yangtsé, que le nom de Jean-Paul Gaultier disait à peine quelque chose aux plus fins connaisseurs de mode. Cette piécette avait donc connu des décennies de fonds de poches et de tiroirs au cours d'une vie utile tellement plus assise que celle de Théo… Rien, pourtant, ne valait moins aujourd'hui qu'une cenne noire ! Ce sou qu'on aurait pu perdre vingt fois dans la nature, que la petitesse aurait normalement condamné à disparaître dans une gerçure de la chaussée, qui aurait pu finir sous les rails d'une locomotive aussi sûrement qu'un père orphelin imbibé de désespoir, avait fait son chemin pour retrouver la chaleur d'une main. Un sou trentenaire. Théo, une vie lapidaire. Pensée casse-gueule. Une nouvelle vague de chagrin vint détraquer les genoux de Chloé, qui ne tenta même pas de réfréner la houle de son cœur.

La jeune femme s'accrocha un moment au grillage de la clôture d'un parc qui faisait chambre à part avec l'animation de la rue. Elle essuyait mécaniquement ses pleurs, de manière trop appuyée, risquant de se meurtrir avec ses ongles, rendant physique et épuisable une douleur morale. À travers la myopie de ses larmes, elle repéra une table à pique-nique sous les arbres du parc où elle pourrait retrouver son calme sans faire une scène. Comme un animal blessé, elle trouva refuge à l'ombre, dans un coin retiré, et pleura tout son soûl.

Une truffe mouillée qui badigeonnait sa cheville la tira de son monde de glace. Un golden retriever à la bouille des plus amicales se trémoussait devant elle sans méfiance. Chloé essuya une fois de plus ses larmes tenaces et observa mieux le curieux environnement où son égarement l'avait menée. À voir les écriteaux accrochés à la clôture, il s'agissait d'un parc à chiens. Six ou sept bêtes de races et de coloris différents jouaient et couraient en tous sens. Un homme était penché sur un teckel obéissant, les mains à son collier, pour, à ce qu'il semblait, le libérer de sa laisse. L'association de l'homme, chapeau de cow-boy et t-shirt aux couleurs voyantes, avec un aussi petit chien n'était pas sans étonner. À part lui, Chloé ne voyait personne d'autre dans le parc.

Le teckel avait rejoint à la course un beagle qu'il paraissait plus importuner qu'amuser. Ayant glissé la laisse dans un sac à dos qu'il n'avait pas pris la peine de retirer, l'homme aperçut Chloé et, après un bref regard à la meute, il se dirigea vers la jeune femme. Involontairement, Chloé rentra la tête dans les épaules. Elle aurait voulu se dissoudre comme la peinture délavée du graffiti qui tachait le banc de bois sur lequel elle avait posé les pieds, disparaître comme le génie d'une lampe dans le O du tag. L'homme ne fut pas long à l'aborder, avec une belle jovialité qui aurait plu à Chloé dans d'autres circonstances.

— T'es un chien pas de collier, ma belle ?

— Je ne possède pas de chien, dit simplement Chloé en se détournant.

— Pourquoi t'es ici de si bonne heure, d'abord ? Tu cherches un chien peut-être ?

— Je ne crois pas que ça vous regarde.

— Au contraire, répliqua l'homme, avec le sourire d'un vendeur d'électroménagers.

C'est alors que Chloé remarqua que tous les chiens portaient un foulard en triangle autour du cou, tous de couleurs différentes – raison pour laquelle elle n'avait pas fait le lien avant –, mais comportant cependant la même inscription : « Louez-moi ».

— Tous ces chiens sont à vous ?

— Ouais, confirma l'homme. J'en ai dix en tout, mais trois ont été loués pour la fin de semaine. Je te fais un bon prix si tu veux. À l'heure, à la journée ou à la semaine, mais c'est plus cher le samedi.

— Sans façon… Votre modèle d'activités est trop baroque. Vous ne louez pas des bébés, tant qu'à faire ? grommela Chloé, sarcastique.

— Non, mais c'est tout comme.

L'homme lui tendit une carte professionnelle sur laquelle figuraient les portraits encadrés de dix chiens en pleine séance de mannequinat, sur des fonds aux couleurs de leur foulard respectif, qui donnaient l'air de sourire.

— Regardez-les. On peut pas ne pas craquer.

— Je vous achète la carte un sou, et c'est tout ce que vous aurez de moi, dit Chloé en prenant vivement le bout de carton et en se débarrassant de la pièce de 1980.

Agacée, elle vit l'homme retirer son sac à dos, s'asseoir à son côté et prendre dans le sac qu'il déposa à ses pieds un objet de plastique, comme une longue cuillère flexible dans laquelle se moulait une balle assortie. Alors que l'homme sifflait et criait « Montus ! » à l'adresse d'un des chiens, Chloé posa les yeux sur le revers de la carte. « Il s'appelle Calvin », constata-t-elle. « Maître-chien et locateur » était son occupation. Un énorme rottweiler que Chloé estima à plus de cent livres répondit à l'appel de Calvin, mais se figea dans une position d'attente à quelques mètres d'eux, reconnaissant le moment du jeu de balle. Calvin étira le bras et le chien bondit pour anticiper le tir du projectile en caoutchouc.

— Il y a vraiment des gens qui louent une aussi grosse bête ? s'informa Chloé, emportée par la curiosité.

— Oui, madame. Évidemment, c'est rare qu'on voie Montus dans une fête d'enfants ! La plupart du temps, ceux qui le veulent recherchent une sorte de chien de garde. Je me souviens d'une fois où les parents d'un gars de quinze ans avaient accepté qu'il prenne le chien une semaine, parce que leur *kid* se faisait intimider par une gang. J'aurais aimé voir ça! Le gars a amené le chien tous les jours devant le *spot* des petits caïds en le faisant grogner. Je lui avais appris le commandement pour obtenir cette réaction. Le gars a eu la paix après, j't'jure!

Le Montus en question revenait fièrement avec la balle qu'il déposa aux pieds de Calvin. Le maître n'eut qu'à ouvrir la main, à désigner sa paume, pour que le chien reprenne l'objet, qu'il déposa cette fois dans la paluche de l'homme. Chloé ne percevait aucune malice chez le molosse et se détendit un peu. Calvin relança la balle.

— J'imagine que ce ne sont pas les mêmes clients qui louent votre basset, supposa Chloé, voyant le chien choir lourdement sur l'une des rares portions de gazon épargnées par les jeux canins.

— On peut rien te cacher. C'est Poco. *Poco a poco*, qu'on l'appelle! Mauvais choix pour aller faire du jogging – quoique les grosses filles l'aimeraient, rigola Calvin. C'est le prince du *photo shoot*, par contre. Pas mieux comme diva: il garde les poses, super docile, belle moue dédaigneuse.

— Il a plutôt l'air désintéressé, remarqua Chloé. Il ne doit pas avoir grand-chose à faire avec le beagle. On le perd de vue à chaque clin d'œil! Il bouge toujours comme ça?

— Ouais, c'est Caméo: toujours là où on l'attend pas. Poco a plus de succès avec les autres petits chiens, qui aiment sa chaleur.

— C'est quoi sa spécialité?

— À qui?

— À Caméo.

— Au début, je le conseillais pour la *cruise*, mais…

— La quoi?

— Ben, pour *cruiser* dans les parcs. C'est connu, les gars avec des chiens ont plus de chances de succès.

— J'imagine que ça aide à briser la glace, en tout cas. On a de la misère entre humains à se dire bonjour, mais gratter le dos d'un chien, c'est irrésistible, confirma Chloé.

— Les gars me disent qu'ils paraissent plus à leur avantage avec un chien: ça leur donne une image santé, l'air moins égocentrique et même généreux s'ils disent qu'ils gardent le chien pour rendre service.

— Je ne comprends pas pourquoi ça ne marchait pas avec Caméo.

— C'est pas que ça marchait pas, c'est que ça fonctionne mieux avec d'autres chiens. Ils doivent avoir l'air doux au toucher et être plus petits. Comme ça, la fille se penche pour flatter le chien et le gars peut lui voir les boules.

Chloé dévisagea Calvin. À sa mine, elle comprit qu'il était sérieux et qu'il ne voyait rien de scandalisant dans ses dires, y trouvant au contraire une occasion de rire.

— Ben quoi, c'est aux filles de se méfier!

— Je suppose que votre champion de la *cruise*, c'est le petit rouquin, dit Chloé en désignant un caniche gros comme un chaton.

— Exactement, Sherlock.

— Il est tellement petit ! C'est un bébé ?

— Non. C'est un caniche teacup. Dans une taille plus petite, il existe même le caniche chinacup, mais il ne scorerait pas mieux que Vénus dans les *dog datings*.

— Non ! Ça existe ?

— Qu'est-ce qui t'étonne ? Un chien qui s'assoit dans une tasse de thé ou une *date* par animaux interposés ?

— Les *dog datings*, évidemment. Les gens sont si désespérés de trouver l'âme sœur ?

— Je ne dirais pas ça comme ça. Je pense que c'est une façon comme une autre d'entrer en relation avec des gens. Ça me fait vivre, en tout cas.

— Que fait Caméo, alors ?

— Il peut tout faire, en fait. Il m'est arrivé, pour des cas difficiles, de recevoir des coups de fil de techniciennes qui travaillent en réadaptation dans des résidences pour personnes âgées. Les petits vieux résistent pas s'il s'agit d'aller promener le chien. En zoothérapie, Caméo a plus de succès avec les hommes aussi. Il a une bonne endurance pour la course, mais il ne fait pas trop viril. Neuf fois sur dix – si ce n'est pas un ado –, les gens vont préférer Usvi.

— Usvi ?

— Le greyhound qui est…

Calvin se tortillait pour repérer le chien, soucieux comme un bon père. Il le trouva derrière eux, à croquer un vieux cœur de pomme au pied de la table à pique-nique.

— Le voilà. Il me vient des États-Unis, où son propriétaire en avait fait un sacré chien de course.

Il est à la retraite maintenant – Usvi, j'veux dire –, mais il reste pas tuable pour courir. Au printemps, surtout, quand les joggeurs retournent sur les pistes et qu'ils ont besoin d'un bon *coach*.

— Ça semble sérieux, votre affaire, nota Chloé. À quoi d'autre sont utiles les chiens à louer ?

— Je connais des accessoiristes qui me contactent pour des tournages, mais dans ces cas-là, je me déplace sur les plateaux pour m'assurer qu'on traite bien les chiens. Je loue Braque pour la chasse aux canards et aux lièvres. Par contre, le vétérinaire est aux frais du client si le chien est blessé.

— De quelle race est Braque ?

— C'est un braque. Ça va de soi, ajouta Calvin, non mécontent de l'équivoque.

— Mais si votre client perdait un de vos chiens…, commença Chloé.

— Oh, ils ont tous une puce GPS. Je fournis aussi leur coussin, leur laisse et la nourriture, sinon j'ai la Société protectrice des animaux sur le dos ! Ils ont peur que les bêtes soient traumatisées si elles vivent trop de changements. À ton avis, ils ont l'air traumatisés, ces chiens-là ?

Au ton de voix de Calvin, un tantinet plus fort et plus aigu, le golden retriever rappliqua vers le couple et, après quelques brassées de câlins, se coucha aux pieds de Calvin. On ne pouvait pas nier que tous ces chiens semblaient doux et paisibles. Chloé se prenait au jeu d'observer leur course désordonnée et imprévisible comme on s'abandonne à la contemplation d'un aquarium.

Calvin lui jeta un regard de biais.

— Les chiens, ça calme, hein ? Et le calme, paraît que ça protège du cancer ! Paraît que pour vivre longtemps, faut pas trop désorganiser nos fluides.

Chloé fixa Calvin, dubitative, les sourcils grimpés sur le front.

— Je veux dire… Faut respecter les rythmes de la vie. Et avec les chiens, pas le choix : ils ont un horaire.

Il marqua une pause.

— C'est plutôt quand je loue mes chiens à des personnes en deuil que je risque le plus de les perdre.

Chloé se crispa sans que Calvin eût l'air de le remarquer.

— Beaucoup de ceux qui vivent la perte d'un proche sont contents de reporter leur attention sur un animal. Je sais pas si ça déculpabilise de quelque chose ou si ça change les idées, mais souvent, on finit par me proposer de m'acheter le chien. Je peux pas vraiment dire non, tu comprends ?

— Je pense que je dois rentrer, annonça brusquement Chloé.

— Tu es suffisamment remise ? demanda Calvin sans ambages.

— Ne me dites pas que vous m'avez fait la conversation pour me consoler, s'enflamma la jeune femme, assez lucide pour savoir que les traces de ses larmes n'étaient pas invisibles.

— Un peu, quand même.

— C'est fou comme, dans notre société, on n'a plus le droit de ne pas être heureux ! Piquer une colère rebute moins que de brailler. Est-ce qu'il fallait que je vous demande la permission pour venir pleurer dans votre parc à chiens ?

— Non. Tu mélanges tout. Celui qui est venu te voir en premier, c'est Madore, dit Calvin en allongeant la main pour flatter le golden, qui lui fit illico des yeux mielleux. C'est lui qui a senti ta tristesse.

— Bien, à moins d'être un chien qui ne comprend rien, généralement, on laisse les gens tranquilles.

— Ça, c'est uniquement si la souffrance des autres fait peur. Moi, j'en ai pas peur.

— C'est ce que vous ont appris vos chiens ?

— Non, le cancer.

Chloé ne s'étonnait même plus du caractère insolite des rencontres qu'elle avait faites dans les quarante-huit dernières heures. Elle commençait à croire, comme le suggérait Calvin, que quelque chose se dégageait d'elle. Une hormone de stress olfactive ? Deux nouvelles rides comme la transcription d'un code morse ? Il était vrai qu'elle-même avait sursauté, le lendemain de la naissance – de la mort ? – de Théo, lorsqu'elle avait décodé pour la première fois l'expression d'une intense souffrance sur le visage d'Antoni. Après des années de vie commune, elle ne s'était pas attendue à lui découvrir encore des traits différents, momentanément transformés. Il lui était aisé depuis de percevoir sans recours aux mots les instants de doute et de peine qui survenaient avec le deuil de Théo. Si Calvin avait effectivement vécu une épreuve qui avait mis sa vie en péril, ce ne devait alors pas être sorcier pour lui de reconnaître les signes d'un combat intérieur. Dans le même temps, peut-être qu'elle-même se rendait plus disponible que jamais pour des rencontres aussi ébouriffantes que magnifiques.

Chloé était confrontée pour la première fois depuis longtemps au dilemme que les gens devaient avoir vis-à-vis d'elle : comment aborder la souffrance sans la nier ? Elle se lança :

— Je suis désolée de ce qui vous arrive. C'est attristant.

— Oh, aujourd'hui, ça va. Et toi ?

— J'enterre mon fils cet après-midi.

— Oh, ça fesse ! Quel âge avait-il ?

— Aucun. Mort avant de n'être.

— Bon, au moins, tu n'entends pas pleurer la nuit, philosopha Calvin.

Chloé plongea dans une colère noire.

— Non, ce n'est pas un bébé que j'entends pleurer la nuit, c'est mon chum !

Calvin ne donna pas l'air d'être affecté par l'emportement de la jeune femme.

— Tout doux, la belle. Je blaguais.

— Je ne vois pas où il y a matière à rire.

— Je m'en rends ben compte ! Pourtant, ça te ferait du bien.

— Vous ne concevez pas que le sujet ne s'y prête pas ? Que votre commentaire était déplacé ? Heureusement que je suis forte ; imaginez combien vous auriez pu me blesser !

— Je savais déjà que tu étais forte, sans quoi tu serais pas sortie de chez toi, donc personne a gaffé. Et pour ce qui est de considérer la mort comme un sacro-saint tabou, t'es pas tombée sur le bon gars.

— Il y a quand même des choses qu'il faut respecter, rétorqua Chloé.

— Oui : toi. Si tu me dis que tu veux pas parler de la mort de ton bébé, je respecte ça. Mais le cancer m'a appris qu'on peut pas protéger les gens qu'on aime des choses tristes et des deuils à faire. Le silence sert à rien. Donc, pour moi, les tabous, ça a pas de raison d'être, peu importent les circonstances.

— Quel cancer?

— Cancer de la gorge.

— Vous êtes fumeur?

Calvin fit signe que non.

— Ce n'est pas une question d'âge, en tout cas, observa Chloé, estimant que Calvin devait être dans les derniers jours de sa vingtaine.

— Ni d'hérédité ni de sexe. Ou plutôt, si: c'est de mon père que j'ai hérité le goût du sexe!

Chloé soupira, sentant venir la farce plate.

— Et le lien avec votre cancer?

— Eh bien, comme je fume pas, que je bois raisonnablement et me brosse les dents après, la seule cause qui reste, c'est que j'aime embrasser les femmes sur la grande bouche.

— La grande bouche… Êtes-vous en train de me parler de cunilingus?

Calvin hocha la tête. Involontairement, le regard de Chloé se posa sur la fine moustache qu'il portait de façon anachronique, puis sur son chandail à l'effigie de personnages de dessin animé (*Les Chipmunks*, jugea-t-elle). Elle éclata de rire, forçant le jeune homme à se justifier.

— Ben quoi? Avoir des rapports oraux non protégés peut être à l'origine de certains cancers du larynx.

L'hilarité de Chloé redoubla. Non seulement elle n'imaginait pas Calvin dans cette position, mais elle ne pouvait pas croire davantage qu'il ait mis, ce faisant, sa vie en danger.

— C'est à cause du virus du papillome humain. Ils vaccinent les filles, maintenant, à cause de moi…

— Oh, arrêtez…, supplia Chloé, qui n'arrêtait pas de rire. C'est n'importe quoi… Je ne vous crois pas.

Calvin avoua :

— J'essayais de faire l'intéressant. J'suis démasqué.

— Ah, si quelqu'un me voyait, de quoi j'aurais l'air de rire ainsi le jour des funérailles de mon bébé ?

— Oh, lâche-moi ça ! T'as le droit de rire de tout ce que tu veux jusqu'à la fin de tes jours. Tu trouveras toujours des gens qui vont dramatiser ce que tu vis, qui comprendront pas que tu puisses rire à nouveau, et d'autres qui voudront pas voir, qui vont tout minimiser pour se protéger.

Chloé était redevenue sérieuse.

— On dirait que vous en avez vu de toutes les couleurs. C'est qui, près de vous, qui a eu ce cancer ?

— Ma sœur.

— Et elle aimait embrasser les femmes sur la grande bouche ? plaisanta Chloé.

— On peut dire ça, admit Calvin, pour la première fois gêné. Mon frère est pas venu la voir à l'hôpital pendant les traitements de radiothérapie. J'ai longtemps pensé : «C'est ça qu'elle vaut pour lui ?»

— Ce n'est pas dit que c'est à cause de son orientation.

— Je sais. Il m'a juré plus tard que c'est parce qu'il était convaincu qu'elle allait s'en sortir.

— Et ça a été le cas?

— Non.

— Ce que ça me dit…, commença Chloé.

— Ce que ça me dit, à moi, c'est qu'il en a pas été capable.

Calvin revint au cas de Chloé.

— Tu vas rencontrer des gens comme ça, des gens qui ont déjà les bras pleins de leur propre peine et que tu devras consoler.

— C'est ridicule.

— Ça dépend de la force de chacun. Rien t'empêche de profiter de l'occasion de ton deuil pour reconsidérer tes relations.

— Vous voulez dire me distancier de certaines personnes?

— Ou le contraire: te rapprocher de… d'autres personnes. Si la vie t'envoie une saleté, oublie les formalités. Quand on est traversé par un drame, c'est assez fréquemment ce qui se passe, d'ailleurs: on reprend le contrôle de sa propre vie.

— Pourquoi, selon vous?

— Tu pourras pas oublier la réaction de certains par rapport à ce que tu vis: le silence déçoit, l'immaturité choque, la franchise plaît.

— Je m'en doute, mais à la base, les intentions des gens ne sont pas méchantes, juste maladroites, non?

— On aimerait le croire, mais la vie, c'est du temps donné. Quand tu as vu la mort de près, tu ne te sens plus obligé de traîner des relations comme des corps morts et de brûler du gaz sur des contacts qui ne te conviennent plus. Bref, tes relations vont changer, comme quand tu pars en voyage et que tu crées des amitiés, mettons, mieux actualisées.

— C'est vrai qu'un drame force à une mise à jour : tu reviens vite à l'essentiel quand tu scannes ton carnet d'adresses pour choisir qui, parmi tes connaissances, sera en mesure de défaire la chambre du bébé qu'on ne ramènera jamais à la maison.

— Ou qui acceptera à l'hôpital de te prendre dans ses bras même si tu sens le singe !

Chloé se permit de sourire.

— Pour gagner ma bataille, je sais qu'il me faut nourrir ma santé et, disons, m'investir dans mon équilibre psychique, mais vous me faites voir l'importance de puiser également dans mes relations aux autres.

— C'est sûr que ce serait mal vu, dans ton état, de te faire une ligne de coke sur le cul d'une amie – même si, à mon avis, ça ne nuirait ni au corps ni à l'esprit, et surtout pas à l'amitié ! gloussa Calvin.

— Comment faites-vous pour vous prendre si peu au sérieux ?

— Je te l'ai dit : je n'ai plus de temps à perdre à me culpabiliser… Un jour, c'est moi qui serai fauché par le cancer. On dirait qu'en vieillissant, la culpabilité devient un fléau pire que les cheveux blancs.

— Peut-être parce qu'on a l'impression qu'on contrôle les choses, qu'on s'imagine qu'on aurait pu les changer.

— Justement, j'aime penser que je suis l'artisan de mon bonheur. J'ai pas le temps d'attendre le hasard. Si je suis pas heureux, c'est à moi d'agir, de choisir. Tiens, comme les chiens : ils accepteront mieux les épreuves stressantes s'ils font d'eux-mêmes le premier pas, même si c'est pour entrer dans une cage.

Chloé gardait le silence.

— T'es pas d'accord ? s'inquiéta Calvin en constatant que son interlocutrice s'était refermée et qu'elle semblait plongée en son for intérieur.

— Bien sûr que si, dit-elle après un moment. Je pensais simplement qu'on me l'avait effectivement donnée, cette chance de choisir.

Ça allait de soi maintenant pour Chloé : dans le voyage qu'elle avait entamé pour accompagner Théo, le plus long avait été de franchir le seuil. Antoni et elle avaient fait ce pas ensemble. Naturellement, le couple avait dû faire preuve de souplesse, car l'amour qu'ils avaient l'un pour l'autre ne garantissait pas la même vision des choses. Face à une interruption imminente de la grossesse, les pères trouvaient souvent leur salut dans l'action, dans un pragmatisme qui pouvait choquer la mère, dans la conviction que leur rôle était de protéger leur conjointe. Rapidement, les questions crues du père à l'adresse des médecins pouvaient être perçues comme un rejet du bébé et, par extension, de la mère, qui était alors susceptible de se camper dans la position opposée à l'IMG, croyant à tort se battre pour son enfant. Face à une décision sans retour, il fallait temps et discussions pour faire la lumière sur les motifs de chacun. L'espoir de l'un pouvait justifier bien des tests médicaux additionnels, reportant d'autant l'heure du choix, et rendant douloureuse et intolérable la position de l'autre. Dans les cas où les parents ne réussissaient pas à être solidaires dans la décision, la demande de la mère avait préséance – et ne sonnait pas systématiquement le glas du couple. Mais il arrivait parfois que le débat soit si âpre qu'il brisait avant échéance le pont de lumière entre la mère et l'enfant, laissant suspendu le geste de caresse de cette main qui se posait sur la bulle de bonheur qui avait soulevé le nombril maternel au fil des mois. Quand la réalité rattrapait le rêve, à la honte de n'avoir pu mener à terme une grossesse s'ajoutait alors la peur d'accoucher de la mort et de l'incompréhension (Que reste-t-il de mon bébé?). C'est dans ce bouillon des choses qui n'ont pas de sens que germaient les traumatismes.

Avec soulagement, Chloé n'avait pas senti son couple aller à vau-l'eau. Devant la rafale de décisions, Antoni et elle avaient jusqu'à présent réussi à concilier leurs valeurs. Toutefois, décider avait sans contredit un effet pervers: leur précaire équilibre était menacé par la culpabilité – et elle n'en était jamais bien loin –, des proverbes comme «Qui choisit prend pire» résonnant toujours quelque part dans l'inconscient collectif. Il devenait facile de perdre de vue qu'Antoni et elle, comme tous les parents frappés par le sort, avaient été menés malgré eux sur un sentier qu'ils n'auraient pas pris de leur plein gré. Ils avaient eu à choisir entre le supplice ou la torture.

Malgré tout, choisir conférait l'impression de conserver un certain contrôle sur les événements, un sentiment de pouvoir qui, quoique dérisoire en regard d'une situation qu'ils n'avaient pas commandée, demeurait signifiant pour rester la tête hors de l'eau. Les équipes médicales qui s'étaient succédé à leurs côtés leur avaient laissé à ce titre une large part décisionnelle dans l'accompagnement de leur bébé. Désiraient-ils un service d'aide psychologique avant d'amorcer l'induction de l'accouchement? Souhaitaient-ils voir le bébé? Avaient-ils choisi des vêtements de naissance? Voulaient-ils inviter les grands-parents à visiter leur petit-fils? Demandaient-ils des rites sacramentels? Chaque fois, on leur avait patiemment expliqué leurs droits et le détail de ce qu'il fallait anticiper. *Savoir* et *choisir* avaient été des clés pour atténuer les aspérités du deuil.

Calvin revenait s'asseoir sur la table à pique-nique. Chloé avait à peine eu conscience qu'il était allé actionner la fontaine d'eau pour donner à boire à ses chiens.

— Je t'ai presque perdue, la taquina-t-il.

— Je n'avais pas réalisé combien il y avait de facettes à la souffrance morale : l'humiliation, l'invalidité, la culpabilité…

— C'est vrai. C'est pour ça qu'il faut trouver des pensées de secours.

— Comme quoi?

— Eh bien, quand j'ai dû admettre que j'allais perdre ma sœur, je me suis dit que ce n'était pas une injustice, que tout le monde mourait bien un jour ou l'autre, que c'était la vie!

— Mais si tôt, c'est triste.

— Sans doute, mais ce n'est pas si tragique si les rêves les plus importants ont été réalisés.

— Ça faisait tellement mal de perdre le bébé que j'ai songé à tout arrêter là, confessa Chloé.

— Tu as pensé au suicide ?

La jeune femme reçut comme une gifle la question de Calvin, mais ce n'était rien d'autre que l'effet de sa franchise. Elle n'avait pas voulu sous-entendre autre chose que le fait qu'elle avait souhaité mourir ou, plutôt, s'évader du piège qu'elle sentait se refermer sur elle. Elle ne devait pas en vouloir à Calvin de faire référence aux choses dures avec les vrais mots. Elle se rappela les paroles d'Olivier le Célébrant : ce qu'on affronte fait toujours moins peur que ce qu'on évite.

Le jeune homme avait rangé dans son sac le jeu de balle et en avait sorti une brosse avec laquelle il venait d'attaquer la fourrure dense de Madore. La plupart des chiens avaient ralenti le rythme et quelques-uns s'étaient rapprochés du basset pour partager son tapis de verdure.

— C'est ça. Ça a été une pensée fugitive.

— Normal. Je vois même ça comme une preuve d'intelligence. Ça démontre combien t'es consciente que ce qui t'arrive n'a pas d'allure. Faut se raccrocher à quelque chose, par contre, insista Calvin.

— J'ai sûrement dû me dire que je n'avais pas réalisé assez de rêves.

— Quoi par exemple ?

— Agrandir ma famille, déjà…

— Pourquoi veux-tu des enfants ? Un chien, ça coûte moins cher !

— Sauf s'il est loué, répliqua Chloé.

— Si c'est ce que tu veux croire, répondit Calvin du tac au tac.

Chloé sourit au jeune homme, étant maintenant à l'aise avec son style débridé.

— Je voulais des enfants parce que je voulais commencer mon histoire.

— Ton histoire ?

— Bien, l'histoire de ma famille. Je voulais m'investir dans le projet qui me semble donner le plus de sens à une vie. Je voulais concentrer mon énergie là où ça compte, là où j'ai la certitude d'être heureuse.

Calvin regarda Chloé, sceptique. Barbouillée de larmes, le visage enflé et rougi, elle comprit qu'elle ne présentait pas un argument convaincant. Elle était le parfait contre-exemple de sa théorie.

— Si t'es heureuse là, tu dois flipper pas à peu près le reste du temps !

— Ah, vous savez ce que je veux dire ! On dirait qu'avoir des enfants vient vous *grounder*, vous donne l'air de vieillir avec équilibre. C'est quasiment une panacée.

— Trouver le bonheur dans la vie familiale, c'est vrai que c'est fréquent, mais c'est pas un investissement garanti. J'en connais à qui ça convient pas.

— Mais c'est un bonheur qui semble tellement tangible…

— C'est le plus valorisé socialement, mais c'est pas le seul. Faut pas que tu penses qu'il est le même pour tout le monde et que le tien est forcément là. D'ailleurs, on apprend trop souvent le bonheur par mimétisme.

Chloé soupira.

— Écoute-moi donc avant de juger… Imagine la scène : l'autre jour, dans le parc, je vois un p'tit gars grand comme ça avec son chien, encore un chiot, aussi p'tit que lui. Le gamin voulait jouer à la balle avec son chien. Il avait beau la lancer, le chiot en avait rien à foutre, il savait pas jouer. Le jeune a piqué une de ces crises de larmes ! Et tu sais pourquoi ?

— Parce qu'il est de la génération de l'instantané ?

— C'est pas mon avis. Moi, j'pense qu'il voulait jouer avec son chien comme il avait vu des gens le faire. Le p'tit cul souhaitait juste avoir le même maudit bonheur que les autres, mais il savait pas comment faire à partir de *sa* situation. J'en connais un pis un autre ben plus vieux que lui qui se font prendre au même jeu.

— Et votre hypothèse est que j'agis pareillement ?

— Ton histoire, elle est déjà commencée, même si c'est pas celle à laquelle tu pensais. Tu suis *ta* piste.

— Peut-être. Mais c'est difficile de ne pas se laisser porter par le courant, de ne pas avoir envie de faire comme tout le monde.

— On a déjà vu des hordes entières de caribous aller à la mort par noyade parce qu'ils suivaient tous le cul qu'ils avaient sous le nez.

— Je réfléchis plus qu'un caribou, se défendit Chloé.

— Ben, prouve-le. Convaincs-toi que ton bonheur devait passer par ce chemin-là. Moi, j'ai appris à faire confiance en comprenant qu'on peut se refaire avec les crédits-bonheur.

— C'est un autre concept à vous ?

— Exactement, ma belle.

Calvin cessa de brosser Madore, replaça son chapeau de cow-boy pour se donner de la contenance et s'adressa à Chloé avec théâtralité :

— Pendant les traitements de ma sœur, j'ai découvert l'homéostasie.

— Vous allez me faire croire que c'est l'un des enseignements du dalaï-lama ?

— Non, non. C'est la recherche de l'équilibre.

— À un niveau plus corporel que spirituel, en tout cas.

— Peu importe. Je me suis dit que si la vie nous durcissait la couenne par bouts, il fallait qu'elle se rachète, qu'elle nous donne l'occasion de nous refaire ! C'est là que ça commence à être trippant. Si tu considères que la vie te doit une faveur, attends pas, va la chercher !

— Et techniquement, c'est quoi au juste vos « crédits-bonheur » ?

— Ce que tu veux ! Une bouteille de vin trop cher, un souper au resto un lundi soir, une nouvelle sacoche de madame, un *trip* avec la belle voisine aux chats…

— Je ne suis pas certaine que je vais retenir toutes vos suggestions.

— Bah, tu vivras pas tout le temps sur le 220 non plus, admit Calvin en recommençant à brosser le golden sagement assis.

— Vous avez des enfants ?

— Oui, une petite fille.

Il posa la brosse, tira un portefeuille de sa poche et en sortit la photo d'une gamine devant un gâteau d'anniversaire supportant deux bougies.

— Elle est jolie, commenta Chloé.

— Je l'ai pas faite avec mon visage! lança Calvin avec un clin d'œil. Alors, qu'est-ce que tu réponds, toi, quand on te demande si tu as des enfants?

Chloé fixa son interlocuteur comme s'il avait eu dix ans et un doigt dans le nez, son regard mêlant l'étonnement, un éclair de reproche et un malaise évident.

— Si je dis non, j'ai l'impression de renier toute ma grossesse et mon bébé. Si je dis oui, on va me poser un paquet de questions et j'aurai l'impression qu'il faut mentir.

— Eh bien, dis que tu *as eu* un petit garçon. Tu sais, la plupart du temps, les gens demandent ça juste pour faire la conversation. Ils écoutent rarement la réponse, donc ça peut passer inaperçu.

— Et si ça ne passe pas inaperçu?

— Tu leur dis qu'il est mort.

— Calvin!

— Comment tu sais mon nom?

Chloé roula des yeux, exaspérée, et montra la carte professionnelle déposée sur la table.

— Je ne peux pas balancer à la face du monde une information pareille... même si ce n'est pas l'envie qui me manque.

— Et pourquoi pas? Tu pourras pas faire semblant d'avoir un enfant.

— Je ne peux pas brusquer les gens comme ça.

— Tu le dis toi-même, que ça te ferait parfois du bien.

— Je ne peux pas, sous prétexte que ça me soulage, faire du mal aux autres!

— Bof, ça leur fait pas vraiment mal, ça les secoue juste un peu. Et puis, «les autres», c'est des petites bêtes qui ressentent pas la douleur comme nous… Quand on vit sur le 220 alors que tout le monde est sur le 110, ça fait du bien de donner des petits électrochocs, tu trouves pas ? Quand ma sœur est décédée, il a fallu aller retourner au magasin une robe qu'elle s'était achetée pour le temps des fêtes. La vendeuse m'a demandé la cause du retour. J'ai dit : « Est morte ! » À la face qu'a faite la fille, j'étais content. J'me suis dit : « Je suis pas tout croche pour rien. Les autres aussi trouvent ça épouvantable. »

— On dirait que c'était une façon de normaliser ce que vous viviez. À partir du moment où les gens partagent notre douleur – ou du moins la reconnaissent –, ça légitime les émotions.

— Ouais, c'était quelque chose comme ça. Les émotions sont universelles. Je l'ai compris en observant ceux qui perdent leur chien. Pour eux, c'est pas du pathos : quelqu'un de significatif disparaît de leur vie, et ça a beau être une bête, elle valait plus que ça à leurs yeux.

— C'est le même phénomène pour celles qui perdent un bébé avant terme, je pense. Des fois, ce n'est qu'un embryon de quelques semaines, mais il était attendu depuis des années. Dans ces cas-là, la représentation a tellement plus de poids que la durée.

— Pareillement en amitié, en amour et au lit, ma belle.

Calvin siffla les chiens. Il avait fait disparaître la brosse au même endroit que le jeu de balle et, cette fois, en avait extrait un sac de biscuits.

— Comment ils s'en sortent, ceux qui ont perdu leur chien ?

— Elle est drôle, ta question, dit Calvin, qui s'affairait à mettre en laisse la petite meute tout en distribuant au fur et à mesure les sept biscuits. Le plus souvent, ils en adoptent un nouveau. Quand ils louent quelque temps l'un des miens – et que je sens que la corde est pas loin! –, je leur dis : « Faites pas de folie, là! Ce chien, il a besoin que vous restiez dans sa vie. »

— Je crois que c'est comme ça que vous perdez vos chiens, constata Chloé, notant combien, malgré son apparence immature et ses airs d'énergumène, Calvin était porteur d'humanisme.

— Avec le chien, ce que j'ai pas besoin de leur dire, mais qu'ils devinent, c'est qu'ils ont pas d'autre choix pour s'en tirer que de s'ouvrir aux autres. S'ils sont gênés de leur tristesse, c'est fini. Les blessures dont on a honte ne guérissent pas[12].

Son sac sur l'épaule et la petite Vénus calée au creux du bras, Calvin avait en main les laisses de toutes les couleurs, comme un bouquet de ballons. Des chiens émanait une saine vitalité ; ils avançaient sans bousculade, chacun connaissant sa place dans la marche.

— Calvin ?

— Tout ce que tu veux, ma belle.

Chloé tournait et retournait la carte du locateur dans ses mains.

— Je ne sais pas de quoi ça aurait l'air, mais croyez-vous que Madore et Caméo seraient acceptés dans un salon funéraire ?

---

12. Dany Laferrière, *L'Énigme du retour*, Montréal, Éditions du Boréal, 2009, 296 p.

— Madore, oui. Je peux lui mettre un foulard pour chien d'aveugle. Ça me fait toujours plaisir de tricher pour une bonne cause. Caméo, non. Il tiendra pas en place.

— Poco, alors ?

— Je pensais à Vénus. Elle peut passer n'importe où, dit Calvin, un regard au caniche aux reflets abricot. Ton intention, c'est quoi ? Faire diversion ?

— Je ne sais pas trop… Dans un salon funéraire, il n'y a pas que la mort : la vie vient visiter la mort. Je cherche un truc pour rappeler le mouvement de la vie, ajouter une once de joie malgré tout.

— Ça peut fonctionner.

Chloé sortit de son pochon sa propre carte professionnelle. Elle y inscrivit un lieu et une heure.

— N'oubliez pas le nœud papillon.

— Tout pour te plaire.

Chloé glissa la carte dans une des poches latérales du sac à dos.

— OK, les champions, à la maison ! lança Calvin.

La jeune femme suivit la meute jusqu'à l'entrée du parc à chiens et, sur son téléphone cellulaire, composa le numéro d'une entreprise de taxis.

CHAPITRE 7

L'ENFANT ET L'AU REVOIR

La pièce était faiblement éclairée, située au sous-sol du salon funéraire, meublée lourdement : quatre immenses fauteuils vert pomme placés deux à deux, face à face, des plantes vertes artificielles, des paysages aux fades couleurs pastel dans des cadres rococo, une machine distributrice de boissons froides et, sur un comptoir tout à côté, une machine à café. Heureusement, pas de miroirs. Chloé avait choisi un des sièges qui faisaient dos au corridor que les invités empruntaient pour se rendre aux toilettes.

Antoni et elle avaient décidé de ne rassembler leurs proches que pour une toute petite heure. Chloé se doutait que sa place aurait dû être auprès d'Antoni, un étage au-dessus, à serrer les mains de ces gens bien intentionnés venus exprimer émotions et soutien. Mais elle avait flanché. Tout s'était bien déroulé les trente premières minutes, jusqu'à ce qu'une de leurs amies, grosse de vie comme Chloé l'avait été, s'avance vers elle, sincèrement dévastée, et lui dise : «Je ne sais pas comment tu fais…» Chloé s'était dans l'instant désagrégée, laissant tout à coup libre cours au ressac de ses larmes, répétant pour la énième fois : « Je ne veux plus de ma vie. Je ne veux pas vivre ce qui s'en vient ! » Revenue à la case départ, comme au lendemain de ce moment où elle avait dû dire bonjour et adieu dans le même souffle. Elle n'avait soudainement plus eu le courage d'accepter la suite – le salon, la cérémonie à la chapelle, le cortège dans les sentiers du cimetière, l'inhumation, le lunch de convenance. L'anticipation s'était fait appréhension.

Le moment que Chloé redoutait le plus était celui où elle allait devoir abandonner le petit cercueil blanc de Théo, une fois qu'il serait déposé au-dessus de la fosse. Comment pourrait-elle dicter à son corps l'élan nécessaire si contraire au souhait de tout son être ? Antoni lui avait assuré que, alors, il la porterait comme une jeune mariée aux premiers pas de sa nouvelle vie. Antoni qu'elle négligeait… seul soleil sur son avenir.

— Ma tante Chloé ?

Tirée de son émoi, Chloé vit avec gratitude la petite Callie, trois ans et demi, se jucher sur le fauteuil à sa gauche, un paquet de mouchoirs en papier à la main, qu'elle s'empressa résolument de remettre à sa tante de sa menotte aux gestes enfantins encore approximatifs. Pendant que la fillette s'enfonçait dans le siège comme une reine sur son trône, Chloé vit sa belle-sœur en retrait lui faire un clin d'œil d'encouragement et s'éclipser, comprenant qu'elle lui confiait sa fille le temps qu'il fallait pour que le charme opère. Chloé ne s'y opposa pas.

Callie agitait ses pieds, qui n'atteignaient pas l'extrémité du fauteuil, à la manière d'essuie-glaces en mission. L'air aucunement ennuyé ou boule-versé, elle regardait avec curiosité ces lieux déper-sonnalisés comme une découverte parmi tant d'autres. Son attention s'arrêta sur le visage de Chloé.

— Ma tante Chloé ? Pourquoi tu pleures ?

— Parce que je suis triste.

— T'es triste parce que ton bébé est mort ?

— Oui, c'est ça. Parce que mon bébé est mort.

Chloé fut reconnaissante à la mère de la petite fille de l'avoir préparée à la journée des funé-railles. Manifestement, on ne lui avait pas raconté n'importe quel bobard. Certains parents étaient tentés de comparer la mort à un long sommeil, ce qui avait souvent l'extrême inconvénient d'amener les enfants à craindre le même sort lorsque vient l'heure du dodo. Il était sain d'éviter également les explications selon lesquelles Dieu ou le petit Jésus avaient eu besoin d'un ange, l'enfant ne compre-nant que difficilement pourquoi, alors, le prochain appelé ne serait pas lui. Il valait donc mieux s'en tenir à ce qu'on savait, dans sa plus plate expres-sion, croyait Chloé.

— Le minou de mamie aussi est mort. Il est allé au ciel. Par là, montra Callie, le doigt pointé vers le plafond.

— Oui, il y est sûrement bien maintenant, com-menta Chloé en se mouchant.

— Est-ce que tu vas encore vouloir jouer avec moi ? s'inquiéta la petite fille.

— Bien sûr, fit Chloé, se forçant à sourire. Mais je vais d'abord devoir faire mon deuil.

— C'est quoi, un « beuil » ?

— Un deuil, c'est un vieux mot qui veut dire
«douleur». «Faire son deuil», ça signifie qu'on est
triste, mais que ça va passer.

— Ça va passer où?

La question prit Chloé de court, mais la fit sourire franchement, cette fois.

— Ça va passer avec le temps. Avec le temps, ça
va faire moins mal.

— Il est où ton bobo?

— Dans mon cœur.

— Pourquoi?

— Parce que je m'ennuie de mon bébé. Il est
mort trop jeune.

— C'est vrai qu'il était jeune, parce que ça faisait
pas longtemps que je l'aimais, bébé Théo.

L'enfant fit une pause, l'air de réfléchir
intensément.

— Pourquoi il est mort?

— Je ne sais pas. Il avait fini de vivre, je pense.

Ça réconfortait Chloé de voir ainsi les choses.
Au mot «mort» était généralement associé un
ton péremptoire, comme un couperet qui tombe.
Callie, d'ailleurs, avait une façon toute particulière de prononcer ce mot: elle mettait l'ac-
cent sur le M, agrandissait les yeux en l'articu-
lant, immanquablement sensible à l'effet que
ce terme produisait sur les gens. Imaginer que
Théo avait simplement complété une étape, à la
retraite de son métier de vivre, donnait l'impression à Chloé d'ouvrir une fenêtre sur une salle
surchauffée.

— Pourquoi il avait fini de vivre?

— Eh bien…

Chloé tentait de réfléchir vite, même si elle baignait quelque peu dans le cirage des émotions fortes. Elle savait Callie à l'âge des interminables «Pourquoi ?» mais n'ignorait pas non plus que si elle laissait percevoir son trouble à la fillette, celle-ci apprendrait que la mort était à craindre – ce qui affectait les adultes perturbait les enfants. Cela dit, elle n'était pas prête à dissimuler sa peine qui, en soi, était naturelle. Mieux valait profiter des circonstances de la vie pour aguerrir les enfants.

— Théo était très malade. Son petit cœur était fatigué et il a arrêté de battre.

— Oh.

Par réflexe, Callie mit les mains sur sa poitrine.

— Le mien, il est pas malade, hein ?

— Non, ma grande, ton cœur n'est pas malade.

— Mais je pourrais attraper la mort de bébé Théo…

— La mort n'est pas contagieuse, ne t'inquiète pas.

Une femme choisit cet instant pour s'approcher de la tante et de la nièce, commandant une bouteille d'eau sur le clavier de la machine distributrice.

— Ma tante Chloé, elle aussi, elle pleure, constata Callie en désignant sans gêne la nouvelle venue. Est-ce que son bébé est mort ?

— Il faudrait le lui demander, répondit simplement Chloé, voyant que la femme se tournait vers elles.

— Pourquoi tu pleures ? s'informa candidement Callie.

— Parce que ma maman est morte, dit l'inconnue avec un soupir.

— Est-ce que tu vas en avoir une autre ?

La femme rit.

— Non. Une maman, on n'en a qu'une seule. C'est pour ça que je suis triste.

Et à l'adresse de Chloé :

— Les enfants ! Quelle thérapie ils font, n'est-ce pas ? Vous avez de la chance.

Chloé serra les lèvres et préféra ne rien répondre, songeant que son propre enfant reposait non loin dans son petit écrin de bois blanc, l'ourson de peluche rouge déposé tout près sur son coussin de fleurs bleues et blanches. La femme s'éloigna sans cérémonie.

— Quel âge il avait, bébé Théo ? demanda Callie.

— C'est dur à dire, admit Chloé.

— C'était pas écrit sur l'étiquette de sa petite culotte ? Moi, c'est écrit sur la mienne.

Callie se tortilla sur le fauteuil, releva carrément sa robe et chercha à attraper l'étiquette récalcitrante que ses collants gardaient prisonnière. Chloé savait vaine toute tentative de raisonner la petite et décida plutôt de la distraire de sa quête.

— Callie, tu veux aussi boire quelque chose ?

Déjà, Chloé se levait pour aller mettre des sous dans la machine distributrice, mais à son étonnement, l'enfant refusa.

— Oh non, pas de liqueur, ça fait tousser mes dents…

— Ça fait tousser tes dents ?

— Tu le sais !

— Non, je ne sais pas. C'est quoi, « faire tousser les dents » ?

— C'est quand on fait « Hup ! Hup ! », mima Callie.

— Oh, ça donne le hoquet.

— Le hoquet, répéta la fillette, comme pour enregistrer le mot nouveau. Bébé Théo, lui, il peut pas avoir le hoquet. Quand on est mort, on peut pas avoir le hoquet, hein, ma tante Chloé ?

Il était particulier de constater que, même si les enfants semblaient à l'aise dans le contexte de funérailles, ils n'en demeuraient pas moins impressionnés par l'aspect cérémoniel. Les parents leur avaient fait mettre leurs plus beaux vêtements, tous les adultes parlaient à voix basse et, souvent, pleuraient. Bien qu'ils ne mesurent pas l'ampleur de la perte, les enfants percevaient la gravité du moment.

Callie en était encore à l'époque heureuse de tous les possibles, la mort n'étant qu'un beau tour de magie. Si elle avait été en âge de fréquenter la maternelle, elle en aurait perçu la radicalité, s'imaginant bébé Théo disparu, mais possiblement ailleurs. L'irréversibilité et l'universalité de la mort ne feraient pleurer la fillette que vers la fin de ses études primaires, mais alors, elle aurait sans doute oublié Théo…

Pour le moment, son trouble semblait se traduire par le fait qu'elle ne démordait pas d'avoir le petit bébé mort comme sujet de conversation, et cela ne déplaisait pas à Chloé d'être perçue comme la maman de Théo : la réalité d'avoir perdu un enfant bien réel n'en était que plus tangible. C'était, elle le réalisait, le bien que lui procurait ce temps d'arrêt qu'étaient les funérailles.

— Quand on est mort, il y a beaucoup de choses qu'on ne peut pas faire, confirma Chloé.

— On peut pas faire pipi, ricana Callie. On peut pas aller chez mamie.

— Eh non.

— Où on peut aller, alors?

— Dans un endroit caché de la vie.

— Au ciel!

— C'est ça, au ciel, approuva Chloé, non mécontente de cette réponse toute faite. C'est là qu'on est immortel.

— C'est quoi, être immortel?

Et zut! Chloé avait lâché le mot sans anticiper la question, quelque peu distraite par l'arrivée de plusieurs personnes venues se désaltérer dans l'aire de détente. Tôt ou tard, la jeune femme aurait à réintégrer le cercle des gens qui s'étaient déplacés pour lui témoigner leurs sympathies, mais elle préférait repousser encore un peu ce moment et profiter de la présence rafraîchissante de la petite Callie. Elle tendit ses bras à l'enfant et, faisant fi des conventions – elle avait été à bonne école avec Calvin le Locateur de chiens –, lui dit:

— Viens, ma crapule. On va jouer à trouver des animaux dans le cimetière.

— Mais c'est quoi, être immortel?

Sa curiosité inassouvie, la fillette revenait à la charge. Chloé trouvait surprenant comme, parfois – ce n'était assurément pas à tous les coups –, les jeunes enfants pouvaient faire preuve de suite dans les idées.

Elles marchaient toutes deux entre les pierres tombales. Callie avait pour mission de désigner à sa tante toutes les colombes et tous les anges qu'elle trouvait gravés sur les monuments. La jeune femme avait accepté d'étendre la définition du mot «animal» aux angelots, constatant combien les personnes en deuil manquaient d'imagination lorsqu'il était temps de représenter les espoirs d'une vie après la mort, les oiseaux n'ayant visiblement jamais eu de rivaux.

Réfléchissant à la question de l'immortalité, Chloé rechignait à se lancer dans des explications teintées de croyances religieuses. Sans l'accord de son frère et de sa belle-sœur, elle n'était pas à l'aise à l'idée de s'appuyer sur de tels concepts pour élucider les mystères de la vie – bien que «le ciel» eût semblé familier à Callie. Elle redoubla d'inventivité pour concocter une réponse satisfaisante.

— Être immortel, c'est quand on ne meurt jamais dans la mémoire des gens qui nous aiment.

Théo devenait donc immortel par le fait qu'il avait des parents qui se souviendraient toujours de lui. «Voilà une autre pensée de secours», se plut à penser Chloé. Elle n'était pas fâchée que, tranquillement, les pensées casse-gueule fassent place aux pensées de secours... Elle eut un élan de reconnaissance à l'intention de Calvin le Locateur de chiens.

— Tu vas te rappeler longtemps longtemps de ton bébé? s'enquit Callie.

— Oui, répondit Chloé, s'éloignant toujours du complexe funéraire vers le monument central du cimetière.

— Pourquoi?

— Eh bien, je suppose que c'est normal. Tu sais, bébé Théo, il avait fait sa maison dans mon ventre. Lui et moi, on était proches proches proches.

— Comme maman et moi?

— Comme ta maman et toi. Si elle mourait, ta maman, est-ce que tu te souviendrais d'elle ?

— Mais oui ! Pour toujours. Parce qu'une maman, on en a juste une ! scanda Callie, faisant écho aux paroles de la dame entrevue quelques instants plus tôt.

Vu ainsi, Chloé en venait à trouver naturel qu'une femme se remémore longuement son bébé – que le cœur du fœtus n'ait battu que vingt ou trente-sept semaines. Aussi singulier que cela puisse sembler, les couples qui avaient vécu les deux drames décrivaient la douleur du deuil périnatal comme l'équivalent de perdre un parent. Il arrivait que certaines femmes ne comprennent pas qu'elles soient bouleversées par une perte fœtale survenue avant le cinquième mois de grossesse et, pourtant, après ce qu'elle venait de confier à Callie, Chloé croyait avoir fait la démonstration de la légitimité d'une telle réaction.

— Ma tante Chloé, regarde, une tortue !

Près de la croisée des chemins, sur un terrain annexe, les fossoyeurs avaient préparé le sol pour une inhumation. Toute la terre déposée par la machine à côté de la fosse avait été recouverte d'une toile vert sombre qui pouvait, pour une imagination fertile, transformer un tertre en une carapace.

— Callie, tu peux courir jusqu'à la tortue si tu veux, mais tu ne vas pas près du trou.

La fillette sauta sur l'occasion de se dépenser et partit d'un petit trot joyeux. Elle ne manqua pas d'explorer au pas de course l'environnement des autres pierres tombales, poursuivant sans doute sa chasse aux animaux, supposa Chloé. Lorsque la jeune femme la rejoignit, l'humidité avait fait boucler follement les cheveux de l'enfant, dont les barrettes avaient glissé sous l'impulsion de la course, et les jolis souliers vernis s'étaient cerclés d'un beigne de glaise. Mais, dans les yeux de Callie, Chloé voyait pétiller le plaisir d'être à l'extérieur et d'explorer.

— Ma tante Chloé, j'ai les jambes tout essoufflées et j'ai chaud… Maman aurait dû me mettre des pantalons à manches courtes, grommela la petite.

— Grimpe, lui dit Chloé, lui tendant une nouvelle fois ses bras, qui avaient bien plus besoin de ce contact que la fillette.

— Pourquoi ils ont fait un trou ?

— C'est un rite.

— Pourquoi ?

— C'est là qu'ils vont déposer quelqu'un qui est mort.

— Comme bébé Théo ?

— Comme bébé Théo.

— Mais il va être petit, son trou, à lui.

— Peut-être, murmura Chloé, les larmes lui revenant à cette idée, alors que l'implacabilité de la mort l'annihilait.

— Tu pleures encore, ma tante Chloé. C'est à cause de ton bobo ?

Normalement, le premier réflexe de Chloé aurait été d'être alarmée par le mot « encore » dans la phrase de Callie. Pendant combien de temps allait-elle, en effet, *encore* pleurer ? Avant de rencontrer Nistor le Pêcheur, elle aurait perçu commé une faiblesse de se répandre à répétition, exception faite du jour des funérailles, où tout le monde, bien entendu, pardonnerait tout. Le lendemain, l'effervescence retomberait doucement et, le surlendemain, il n'y aurait plus de raison qu'Antoni et elle ne réintègrent pas la vie active.

« *Bullshit* », dirait Nistor. Chloé pouvait se montrer coriace, ce qui, dans ses fonctions professionnelles, s'était avéré à plusieurs reprises une qualité notoire. Elle pourrait très bien tenir serrés les cordons de sa poche à sentiments… pendant des années. Elle renierait alors l'important déséquilibre que représentait le deuil sur les plans physique, psychologique, affectif et social. Dans le meilleur des cas, elle réussirait parfaitement à refouler toutes ses émotions dans une boîte de Pandore, mais il y aurait un prix : pour conserver Théo dans sa vie, du fait de sa disparition, elle devrait s'atteler à modifier son attachement envers lui. Ce travail allait demander de rappeler à sa conscience les raisons qui les avaient conduits, Antoni et elle, à renoncer à un bébé en chair pour cajoler un bébé de lumière. Ce processus dans lequel elle baignait déjà l'avait fait passer de l'état de choc à l'état dépressif, puis à la désorganisation. Si elle persévérait viendrait le soulagement, comme une fierté d'avoir redéfini son attachement à son bébé, autrement dit la nouvelle place de Théo dans sa vie. Son manque de familiarité avec la mort, allié à son caractère intransigeant et impatient, pourrait par moments lui donner le sentiment d'être dans un état qu'elle jugerait anormal, alors que ses pleurs ne seraient que la manifestation saine de cette tempête d'idées inévitable et obligatoire de laquelle émergerait un sens neuf. Chloé sécha ses larmes, qui ne l'affolaient plus.

— Ma tante Chloé, tu sais quoi? Quand j'suis pas gentille, papa m'envoie me coucher sans lumière.

Chloé sentait bien que Callie tentait d'attirer son attention. Elle ne pouvait pas l'ignorer longtemps, surtout dans de telles circonstances. Elle était reconnaissante aux parents présents – particulièrement à son frère et à sa belle-sœur – de ne pas avoir écarté les enfants du rituel d'au revoir. En contrepartie, il fallait se montrer disponible et être prêt à répondre à toutes leurs questions parfumées d'imaginaire.

— Callie, tu as compris que, tout à l'heure, on va tous venir conduire bébé Théo près d'un trou comme celui-ci?

— Pourquoi?

— Eh bien, Antoni et moi, on a pensé que ce serait bien que ce soient des gens de la famille qui gardent bébé Théo pendant qu'il... pendant qu'il est...

— Au ciel!

— C'est ça, pendant qu'il est au ciel.

Décidément, il lui épargnait bien des élucubrations, ce ciel, constata Chloé, forcée de réviser son opinion sur les explications à donner aux enfants concernant la mort.

Antoni et elle avaient longuement hésité avant de choisir d'inhumer Théo sur le lot en terre sacrée de la famille. D'une part, ils avaient le sentiment que le bébé évoluerait entouré des siens. D'autre part, l'hôpital leur avait proposé de disposer gratuitement du corps et les avait invités à participer à une cérémonie au cours de laquelle tous les bébés décédés dans l'année verraient leur mémoire honorée par l'inscription de leur nom sur un monument collectif au mont Royal. L'idée avait séduit Antoni, qui voyait là l'occasion de confier Théo à une autre famille, celle des compagnons de jeu. La considération financière n'était pas un critère pour trancher la question, puisque la majorité des entreprises funéraires proposait le service des obsèques des tout petits bébés sans frais ou à peu de coûts, par charité humaine. Bien sûr, le véritable enjeu était de concevoir quel accueil Antoni et Chloé préféraient imaginer pour l'âme de Théo. Ils n'étaient pas dupes : ils travaillaient avant tout à la paix de la leur.

— Tu vois toutes les écritures sur la pierre tombale ?

— Moui.

— C'est le nom des gens d'une même famille qui sont tous enterrés ici.

— Il était grand, le trou !

— Ils en ont fait plusieurs.

— Comme plein de portes ?

— Si tu veux.

— C'est une famille comme ça que bébé Théo va avoir ?

— Ça devrait.

— Et moi ?

— Pas tout de suite. Ta maman va bien trop s'ennuyer de toi si tu pars trop vite.

— Est-ce qu'elle m'aimerait quand même si je *partirais* ?

— Oui, elle n'arrêterait pas de t'aimer et elle ne t'oublierait pas, la rassura la jeune femme.

— Ma tante Chloé, je t'aime tous les deux, bébé Théo et toi.

— Je t'aime aussi, ma grande.

— Est-ce que tu vas avoir un autre bébé ? demanda Callie.

— Je pense, oui.

— Tu as droit à combien ?

— Euh… un à la fois.

— Est-ce qu'il va mourir aussi ?

— Ouf… personne ne peut en être certain. Mais… la vie ne se répète jamais, Callie, reprit Chloé sur un ton plus convaincu. Ce bébé-là aura une autre histoire, un autre nom et, j'espère, une autre existence.

— Quand j'étais petite, je ne savais pas que, des fois, on pouvait être mort.

— Sais-tu ce qu'on dit lorsqu'on parle d'une personne morte ? On dit qu'elle mange les pissenlits par la racine.

— Non, on dit pas ça ! répliqua Callie en riant.

— Mais oui, on dit ça. Parce que la personne est couchée au fond du trou et, quand l'herbe repousse par-dessus la terre, les racines de pissenlit viennent lui chatouiller le nez, expliqua Chloé, qui titillait du même coup le petit blair de l'enfant.

— Ça se peut pas ! rigolait Callie.

La langue populaire était riche de toutes ces expressions pour imager la mort, faisant référence au voyage, au passage, au repos éternel, à la perte, au cercueil et au cimetière. Tristement, on constatait que, depuis la disparition de la croyance en une vie après la mort, l'insouciance qui permettait autrefois de jouer avec les analogies macabres s'en était allée comme une chandelle.

Callie gigotait pour descendre, et Chloé la posa doucement par terre. La fillette se dirigea avec la hâte d'une bonne idée au pied du talus et cueillit à la lisière de la chaussée un nouveau pissenlit.

— Qu'est-ce que tu vas faire avec ta fleur, Callie ?

— Un mauvais coup…

— Oh, non, s'opposa gentiment Chloé. Mamie va me chicaner si elle voit que tu m'as maquillée comme une abeille.

— Je voulais te chatouiller le nez…

Voyant la déception de l'enfant, Chloé lui dit :

— J'ai un meilleur jeu. Va chercher le bébé pissenlit juste à côté de la tombe rose.

Callie rapporta une seconde fleur et regarda Chloé introduire la plus petite des tiges dans la plus grosse, comme des pailles de tailles différentes l'une dans l'autre.

— Tends-moi ton poignet, intima-t-elle à l'enfant.

— Tu vas pas me salir, hein ?

— Mais non.

Callie avança une main, et Chloé passa la tige sous son poignet en torsadant les deux fleurs.

— Voilà !

— Ma tante Chloé, tu m'as fait un bracelet de princesse ! fit la fillette, surprise du trésor révélé.

Les yeux posés sur la plante-bracelet en apparence anodine, Chloé était sous l'effet des réminiscences de l'enfance.

— Tu sais, ma crapule, il va falloir qu'on retourne au salon.

— Pourquoi ?

— Parce que ça va bientôt être l'heure de dire au revoir à bébé Théo.

Elle saisit la main de l'enfant et reprit l'allée principale du cimetière en direction du complexe.

— On va lui donner des becs ?

— Non, on ne pourra pas.

— Comment on va faire pour dire au revoir ?

— On va passer une belle berceuse qu'il aurait aimé entendre, on va lire des textes qui vont donner du courage à ceux qui vont s'ennuyer de lui et on va allumer des chandelles pour qu'il n'ait pas peur dans le noir.

— Parce qu'il a été gentil !

— Mais oui.

— On pourrait allumer des chandelles à Noël et à sa fête aussi ! suggéra Callie, pour qui les bougies avaient une connotation de réjouissance et de gâteau d'anniversaire.

— C'est une bonne idée.

Il était drôle de voir avec quelle rapidité les enfants assimilaient les rituels. Au-delà de la générosité propre à ces occasions, le plaisir résidait également dans l'attente, dans la connaissance qu'avait l'enfant des classiques qui donnaient son essence à l'événement. Même toute petite, Callie avait compris qu'il y avait incontestablement des bienfaits dans ces rendez-vous préorchestrés. L'absence de rituel pouvait par ailleurs devenir une entrave au deuil. Dans le contexte de funérailles, le fait que tous connaissent grosso modo la teneur des cérémonies, la reconnaissent et l'acceptent avait un effet apaisant : dans le bastringue des émotions, on avait des repères, des conventions et un horaire.

En marchant, Chloé pensait à Noël, la « fête des enfants ». Comme Théo allait alors lui manquer ! Elle réalisait peu à peu que sa vie ne serait plus tout à fait la même lors d'occasions comme l'Halloween, les baptêmes, les réunions de famille… Sa vision des choses allait s'en trouver transformée – comme elle l'aurait été par un autre filtre si Chloé avait eu son bébé. Désormais, elle vivrait dans le même univers que tout le monde, mais le regard qu'elle y poserait serait différent, comme celui des magiciens.

— Callie, tu aimes la magie ? demanda-t-elle pour faire la conversation à la fillette.

— Oui, surtout quand c'est mamie qui en fait.

Chloé fut intriguée.

— Mamie fait de la magie ?

— Oh, oui ! répondit l'enfant. Elle est capable d'ôter ses dents…

La jeune femme s'esclaffa. De toute évidence, que sa vision des choses se trouve changée par la perte de Théo n'était pas pour la marginaliser. Elle avait au moins l'assurance, à la lumière de l'ingénuité caractéristique de la petite enfance, qu'elle ne serait jamais toute seule à façonner sa réalité propre, un monde qui serait le sien.

Elles venaient d'atteindre l'entrée du complexe funéraire et montaient les marches du porche.

— On arrive, Callie. Tu vas rejoindre ta maman ?

— Non, je voudrais voir la chiotte.

— Callie ! articula Chloé sur un ton de reproche avant de penser à une méprise. Quelle chiotte, Callie ?

— Bien, la chiotte du monsieur.

— Excuse-moi, je ne comprends pas ce que tu veux dire, avoua Chloé en se baissant à la hauteur de la fillette, au cas où elle déciderait de parler pipi-caca devant les messieurs-dames bien habillés qui avaient en tête une réalité tout autre.

— Il y a un monsieur qui est venu tout à l'heure avec un gros chien jaune-orange et un bébé chienne.

— Ah ! Ça y est, j'ai compris.

En descendant au sous-sol, Chloé avait dû manquer l'arrivée de Calvin le Locateur de chiens. Manifestement, Callie faisait référence à Vénus, le caniche teacup, en des termes paronymes que la langue française n'avait pas cru bon d'associer à la même famille de mots !

Au sommet de l'escalier, Chloé eut la surprise agréable de constater qu'Olivier le Célébrant l'attendait. Son sourire était rassérénant et son calme, à l'épreuve du cancer.

Il embrassa la jeune femme sur les joues.

— Comment ça va ? Est-ce que je peux faire quelque chose pour toi ?

— Reste là pour écouter mes états d'âme ; n'essaie pas de me consoler ; ne détourne pas le regard quand tu croises le mien.

— Dis donc… Ça devrait être dans mes cordes.

— Si tu fais tout ça, je ne peux pas ne pas être remise sur pied bientôt.

— On va commencer par t'aider à traverser cette journée, assura Olivier, notant au passage la fébrilité de Chloé.

— Ma tante Chloé, j'ai pété.

Chloé et Olivier se tournèrent comme jumeau-jumelle vers la petite Callie, qui jouait avec les rebords de sa robe rouge remontée sans pudeur jusqu'aux épaules.

— Eh bien, Callie, qu'est-ce qu'on dit ?

— Ça pue ! répondit la petite fille, sans espièglerie.

Chloé soupira, déchirée entre l'envie de rire et le désir de reprendre l'enfant comme le ferait un adulte responsable de son éducation. Des bribes de sa conversation avec Calvin le Locateur de chiens lui revinrent en mémoire et elle opta pour le rire. Elle dit à l'attention du célébrant :

— Ce petit trousse-pet, c'est ma nièce. Olivier, je te présente Callie.

— Bonjour, Callie.

— Jour, marmonna la fillette, un peu en retrait derrière Chloé.

Olivier se pencha pour apprivoiser l'enfant timide.

— Alors, Callie, parle-moi de ta tante Chloé. Est-ce qu'elle met du poivre dans ses céréales le matin ?

— Je sais pas, se risqua-t-elle à dire, suspicieuse.

— Est-ce qu'elle met des poissons rouges dans la machine à laver ?

— Non, dit plus fort Callie, fronçant davantage les sourcils à cette idée.

— Est-ce qu'elle tue des monstres avec sa brosse à dents ?

— Oui ! dit clairement la fillette, tout à coup dégênée.

— Très bien, l'encouragea Olivier. Et dis-moi, quand tu dessines, tu utilises quelle main ?

— Ben, ma mienne, répondit Callie, incertaine du but de la question.

Olivier partit d'un grand rire, s'attirant des regards réprobateurs des gens rassemblés à l'entrée des salons.

— Elle est mignonne, dit-il à l'adresse de Chloé, je suis conquis.

— Je crois qu'elle l'est aussi, dit la jeune femme en désignant Callie, qui s'était avancée.

— Ma tante Chloé, c'est ma marraine, annonça la petite fille. Et mon marin, c'est mon oncle Antoni. Et puis le bébé de ma tante Chloé est mort. Comme le minou…

— OK, ma crapule, l'interrompit Chloé, qu'une fatigue émotionnelle gagnait. Je sais que tu viens de te faire un nouvel ami, mais Olivier et moi avons des choses pressantes à faire.

Elle se mit à chercher la mère de l'enfant du regard, la devinant à l'affût pour ne pas lui imposer la fillette trop longtemps.

— Tu m'as coupé l'appétit de parler, protesta timidement Callie.

— Je sais, mais tu te rappelles quand je t'expliquais qu'il fallait bientôt dire au revoir à bébé Théo ? Eh bien, c'est presque le moment.

— Chloé, est-ce que tu voulais aller faire un tour au salon avant que l'on dirige tout le monde à la chapelle ? demanda Olivier.

— Non, ça va aller. Et je vois la mère de Callie qui me fait signe. Je vais pouvoir me poster à l'entrée pour accueillir les gens qui y entreront et je prendrai un moment avec chacun plus tard.

— Allons tout de suite à la chapelle, dans ce cas.

Chloé se figea.

— Tout de suite ?

Ses forces l'abandonnèrent, et elle se sentit vacillante.

— Chloé, tu n'es pas obligée de franchir seule cette étape-là. Beaucoup de gens ont fait la route pour venir vous soutenir, Antoni et toi.

— Antoni…

— J'irais bien le chercher, mais je ne le connais pas.

— Callie, elle, le connaît.

Chloé tremblait, fragilisée au cours des derniers jours par le va-et-vient des émotions, telles les grandes marées au printemps. Olivier s'éloigna pour lui dénicher une chaise.

— Callie, est-ce que tu veux me donner un coup de main ?

— Non, dit l'enfant d'un ton catégorique.

Chloé fut interloquée par sa mauvaise volonté, mais n'avait ni la patience ni le temps de s'obstiner.

— Alors, va rejoindre ta maman.

— Non, je veux rester avec toi, supplia la fillette.

— Veux-tu me donner un coup de main ?

— Un petit ?

— Oui, Callie, un petit, soupira Chloé, qui perdait patience.

La fillette s'avança et donna une tape sur la cuisse de Chloé.

— Oh… Callie.

Chloé eut un élan d'amour pour l'enfant, qu'elle serra dans ses bras.

— Un coup de main, ma grande, c'est rendre un service. Tu veux bien aller chercher Antoni pour moi ?

— Moui !

Callie partit en galopant, les coudes écartés dans une position peu aérodynamique, mais parfaitement efficace pour se frayer un passage entre les adultes qui la voyaient s'amener au pas de course.

Olivier réapparut et permit à la jeune femme de s'asseoir. Les mains de Chloé étaient glacées et son regard, torturé.

— Olivier, c'est maintenant que j'ai peur. J'ai supporté tous les diagnostics de Théo, l'amniocentèse, le verdict, la décision que tu sais, les aiguilles de l'IMG, les trente heures de l'accouchement, la vision de mon bébé mort, l'organisation de ses funérailles, mais c'est là que je pique une crise de catalepsie, à côté d'un foutu bouquet de fleurs artificielles !

— Chloé, tu as fait preuve d'un courage remarquable jusqu'ici, et tout le monde sait que tu n'as pas choisi de rendre bossu le cimetière. Néanmoins, tu m'as dit hier que tu avais un devoir vis-à-vis de Théo, et cette tâche n'est pas achevée. Je sais qu'il y en a qui meurent de chagrin, mais tu n'en seras pas.

Il existait en effet une surmortalité significative chez les personnes endeuillées. D'office, on pensait tout de suite au suicide, mais il fallait aussi relever dans les statistiques les morts par accident. Il n'était pas rare que les gens éprouvés deviennent lunatiques, égarés ou absents, ce qui donnait lieu à des situations dangereuses, par exemple au volant. La perte de sens survenant après le départ d'un être aimé pouvait aussi conduire à une prise de risques plus ou moins consciente. Là où Olivier n'avait pas tort, c'était sur le fait que Chloé n'était ni déconnectée ni séduite par la roulette russe. Elle était simplement arrivée au point où il lui fallait restituer l'écorce de Théo, qu'elle s'était vu confier sans licence. Le détachement s'était fait progressivement, avec une première coupure lors de l'annonce des atteintes neurologiques, qui signifiaient que l'univers de Théo allait être hermétique à ses parents. Puis était venue l'IMG, qui portait le bébé au-delà des frontières de la vie. Alors que la remise de la petite dépouille à la morgue avait ponctué la première séparation physique, l'inhumation allait marquer la séparation absolue.

Callie revenait en tenant son oncle par la main. On ne savait trop qui de l'adulte ou de l'enfant guidait la marche. Chloé se leva et dit à Olivier tout en regardant Antoni :

— Comme parents, on pensait qu'on devait épauler notre enfant dans la réussite de sa vie, mais on découvre finalement qu'il nous a choisis pour réussir sa mort. Il va nous manquer toute notre vie, de ce bébé-là, autant s'y accoutumer et faire ce qu'il faut.

Lorsqu'il fut arrivé à sa hauteur, Olivier serra la main d'Antoni, puis échangea un regard entendu avec Chloé. Il tendit le bras pour que le couple ouvre la marche. Callie leur emboîta le pas, glissant son petit poing dans la main du célébrant. Derrière eux, les proches formèrent une procession jusqu'à la chapelle, d'où leur parvenaient déjà les airs d'une berceuse dont la douceur était bouleversante. « Si moi, je braille, ils vont brailler eux autres avec ! » résolut Chloé, puisant cette pensée narquoise de son mana pour poser encore une fois ses yeux sur le petit cercueil qu'on apportait.

CHAPITRE 8

L'AMOUREUX ET L'AVENIR

La voiture de service dans laquelle le couple avait pris place à la tête du cortège qui se rendait au cœur du cimetière arriva la première sur les lieux pour permettre à Antoni de porter le petit cercueil blanc sur la planche et le tapis déposés en travers de la fosse. Chloé verrait bientôt les voitures des invités se garer une à une le long de l'allée asphaltée. Elle disposait pour l'instant de quelques précieuses minutes pour se donner une contenance.

Plantée là, au milieu de la pente gazonnée, elle n'avait pourtant aucune initiative. Elle était tétanisée devant le symbolisme puissant du père faisant franchir à son enfant ses derniers pas. Chloé avait porté Théo en son sein huit mois durant, une éternité en comparaison des quelques minutes où il reposerait dans les bras de son père. Néanmoins, l'éternité se situait bien davantage dans le geste d'Antoni, qui complétait si bien celui de Chloé, en un héritage parental indicible.

Antoni lui fit signe de s'approcher. Ses traits révélaient cette expression de souffrance si étrangère aux yeux de l'amoureuse, et en même temps si familière par son effet de miroir. Chloé vint se pencher au pied de la pierre tombale. Elle passa une main qui se voulait légère sur le velours de la petite boîte blanche, qui n'avait rien de la douceur inimitable de la peau de son bébé. Ses yeux se posèrent sur l'inscription taillée dans la pierre. Elle allongea son geste pour que ses doigts effleurent les quatre lettres du prénom de Théo, cavées comme dans son cœur. Comment ne pas songer que, dans quelques minutes, la pierre froide allait devenir l'unique reliquat de Théo ? Pensée casse-gueule.

— Ce n'est pas ça, ce qui aurait dû être ! gémit Chloé, se cachant le visage dans les mains.

Elle regrettait de n'être pas venue jusqu'ici une heure plus tôt alors qu'elle avait eu l'occasion de fureter dans le cimetière avec Callie. Elle aurait pu se préparer davantage au choc…

En même temps… N'était-il pas illusoire de croire encore qu'elle pouvait amoindrir la dureté de ce moment ? Son deuil était constitué d'une infinité de petits pas. Tous ne suivraient pas une parfaite courbe de croissance dans la quête du mieux-être et, à l'occasion, il lui faudrait même accepter de perdre pied sous l'effet d'une lame de fond qu'elle n'aurait pu anticiper.

Olivier le Célébrant arrivait, un petit livre d'or à la main. Antoni alla à sa rencontre, lui confia quelques mots et Olivier opina de la tête.

L'instant d'après, Antoni était aux côtés de Chloé. Il la prit par la main et l'entraîna à travers les rangées de pierres tombales avant l'apparition des invités.

— À quoi tu penses, Chloé ?

— Je ne peux pas croire que cette pierre sera pour toujours la dernière matérialité de Théo.

— Il ne tient qu'à toi de voir les choses autrement.

— Qu'est-ce que tu veux dire ?

— Tu as tellement d'autres objets pour te rappeler Théo : l'ourson qu'on gardait pour lui, les empreintes de ses pieds, la pince de son cordon, son bracelet d'hôpital. Ils deviendront des « artefacts » bien plus chaleureux parce qu'ils ont été en contact avec lui. Tu n'as pas à t'arrêter à l'idée de cette pierre tombale.

— Tu as raison.

— Ce doit être notre journée, Chloé. À partir de maintenant, tout est à nouveau possible. Si tu ne veux pas retourner à la fosse, on n'y va pas. Si tu veux y aller lorsqu'il n'y aura plus personne, c'est entendu.

— Je ne veux pas voir Théo au fond du trou…

— Pauvre amour, dit Antoni en prenant Chloé dans ses bras. Les fossoyeurs ne font plus ça depuis longtemps. Je n'aurais pas voulu le voir moi non plus, je t'assure.

— Je n'ai plus de colère, Antoni, mais c'est comme si, du coup, je n'avais plus la force de rien.

— Laisse-toi le temps de vivre les émotions une à la fois.

— Tu as l'air tellement serein, fit Chloé avec envie.

— Oh, t'inquiète pas, j'vais vivre d'autres contrecoups. Pour l'instant, j'me dis que je veux être là pour toi.

— Et je serai forte pour toi. J'ai juste peur qu'en pleurant, je te fasse pleurer.

— Et moi donc! confessa Antoni, qui n'avait pas les yeux moins rouges que ceux de Chloé. Je vais me sentir coupable, quand tu iras bien, de voir que par ma faute tu retombes dans la peine.

Chloé se recula et observa cet homme qui faisait partie de sa vie de tous les jours, mais que l'épreuve lui faisait redécouvrir. Dans l'adversité, elle ne doutait plus qu'ils étaient devenus le héros l'un de l'autre. Pourtant, tant de couples ne résistaient pas à la tempête occasionnée par la perte d'un enfant. Antoni avait été celui qui veillait, comme le fidèle malard qui étire le cou quand la cane glisse le bec sous son aile.

— Ne reste pas avec cette idée en tête, dit Chloé. Je sais que tout le monde autour de nous se montre compréhensif et nous offre de téléphoner pour n'importe quoi n'importe quand, mais il y a des moments où ce n'est que toi, mon antidote.

D'où ils se tenaient, bien que dissimulés par les pierres tombales, ils voyaient les gens se rassembler progressivement autour d'Olivier. Antoni avait dû lui dire de gagner du temps par la récitation d'une prière ou par un rituel approprié aux circonstances, car peu à peu, les invités commencèrent à se présenter à tour de rôle devant le cercueil de Théo pour y poser la main.

— Chloé, j'ai peur par-dessus tout qu'un jour, tu ne m'aimes plus, parce que tu auras réalisé pleinement ce qu'on a fait et que tu m'en voudras de ne pas t'avoir…

Chloé mit un doigt sur les lèvres d'Antoni.

— Dis pas ça. Pour tout ce qui concerne Théo, mets dans tes phrases moins de «je» et plus de «nous».

Antoni la fixa quelques secondes.

— C'est heureux, tu me donnes confiance dans le fait qu'on aura un autre enfant.

— Mon vœu le plus cher est d'avoir un autre enfant avec toi, mais je mentirais si je disais que je n'ai pas peur que l'histoire se reproduise… aussi.

— Tu parles de perdre un nouveau bébé ?

— On n'en est pas à l'abri : les anomalies génétiques peuvent être héréditaires.

— Ce n'est pas faux, mais la plupart des défaillances ne sont pas aussi sévères que ce que nous avons vécu avec Théo. Souvent, c'est aussi minime et commun qu'une tache de naissance. Tu as déjà vu des chats polydactyles, avec deux pouces ?

— J'ai déjà vu une Noire albinos. C'était intrigant, mais dans d'autres cas, je sais que ça peut être grotesque.

— C'est vrai, il y a la femme à barbe. Mais avec elle, on ne sait jamais si c'est à cause d'un raté génétique ou si c'est parce qu'elle vient d'avoir un bébé…

— Antoni ! reprocha Chloé, faussement vexée. Tu dis n'importe quoi !

Chloé rit, les forces lui revenant au contact du jeune homme et de son robuste optimisme. Elle était soulagée que, déjà, ils puissent évoquer l'affection de Théo avec humour, sans avoir l'impression de commettre une profanation, sans devoir vivre sur la pointe des pieds.

— Il paraît que c'est symptomatique d'une atteinte frontale, un effet secondaire du deuil.

— Tu réussis à faire des blagues dans un moment pareil…

— Tu vois, je n'ai pas changé, ça devrait te rassurer… ou t'exaspérer, se reprit Antoni en remarquant l'air incertain de Chloé.

— T'as un poil blanc là où j'ai pris trente livres, se plaignit-elle.

— Tu insinues que j'ai les fesses poilues?

— Oh, Antoni! se fâcha Chloé, lui donnant une poussée sans conviction sur la poitrine.

Antoni en profita pour attraper sa main et la garder.

— Écoute-moi, Chloé: on aura un autre enfant, et tu vas continuer d'avoir peur d'un paquet de choses, mais cette crainte-là ne devra plus te paralyser. Rappelle-toi qu'on a fait un bébé parce qu'on n'avait pas peur de la vie…

Elle acquiesça, les larmes de soulagement et de tristesse se mêlant en une même pluie sur ses joues.

— Comment fait-on pour rebondir après ce qu'on a vécu? demanda Chloé.

Antoni eut un sourire malicieux.

— Oh, ça coûte cher d'être en deuil! Tu n'as pas idée de tout ce qu'il va falloir faire pour se réconcilier avec la vie: les voyages à planifier, une garde-robe à renouveler, les concerts à courir…

— J'ai peur de n'avoir plus jamais le goût de toutes ces choses-là.

— Mais ça reviendra.

— Parce qu'on a choisi la vie. Mais quelle vie…

— Chloé?

— C'est juste que… Théo n'a pas vécu, mais on a des souvenirs de lui partout…

— Oh… Il n'est pas question de changer de vie. On ne reniera rien de ce qu'on était. Je n'ai envie de changer ni la maison ni la voiture, si c'est ce que tu crains.

— Et moi ?

— Vous restez dans ma vie, Chloé, toi et tes trente livres…

Ils rirent juste ce qu'il fallait pour que Chloé se ressaisisse. Antoni l'embrassa sur le front et redevint sérieux.

— On ne se donne aucune obligation sociale, mais je dois quand même informer le célébrant de ce qu'on fait. Qu'est-ce que tu décides ?

Chloé s'était branchée.

— Rejoins tout le monde. J'ai une toute dernière chose à faire qui ne prendra qu'une minute. Assure-toi qu'Olivier a ma lettre.

Antoni lâcha la main de Chloé à regret et se dirigea vers la petite foule assemblée devant la stèle de la famille Collard. Une petite fille courait vers lui ; elle fut cueillie comme une rose rouge et ramenée à sa mère.

Chloé sortit fébrilement son porte-clés auquel pendait un petit canif. Elle extirpa du cœur de l'instrument une paire de petits ciseaux et, en prenant une profonde inspiration, coupa le bracelet d'hôpital qu'elle portait toujours au poignet. Elle glissa le ruban de plastique dans sa poche. Elle s'apprêta à rejoindre Antoni et le célébrant, mais tomba en arrêt devant la fleur jaune.

Au premier abord, la plante semblait quelconque, sauvée *in extremis* des lames de la tondeuse par sa position bien accolée au monument funéraire. Mais quelque chose avait attiré l'attention de Chloé. Elle s'accroupit près du pissenlit pour l'examiner. Deux fleurs fort différentes l'une de l'autre étaient écloses. Celle de gauche était tout ce qu'il y avait de banal. Celle de droite était plus curieuse. Sa tige creuse était aplatie et élargie, ratatinée comme si le Bon Dieu y avait appuyé un doigt pour en ralentir la croissance. Alors que l'inflorescence du pissenlit le programmait à un seul bouton par tige, celui-ci avait semblé projeter deux corolles qui, à la dernière minute, avaient choisi un mode d'existence à la siamoise. Il ne fallait pas avoir l'œil d'un horticulteur pour percevoir que tout, dans ce pissenlit, était de travers.

« Je vois des anomalies chromosomiques partout, s'affola Chloé. Ou alors… » Elle devait se rendre à l'évidence que les erreurs génétiques *étaient*. De la même façon qu'elle se choquait de savoir que de vulgaires rats réussissaient dans la procréation là où elle avait échoué, elle devait admettre qu'il arrivait à la nature de gaffer. Il lui suffisait d'ôter ses œillères. Son état dolent ne pouvait pas justifier qu'elle se replie sur elle.

Chloé ne cueillit pas le pissenlit, voulant sciemment respecter le fait que, en dépit de la difformité de la fleur, la vie avait fait son chemin. Mais elle avait cueilli Théo. La vie s'était accrochée. Il y avait donc des tares moins condamnables que d'autres. Laissant courir sa main sur l'herbe nouvelle, Chloé nota que les trèfles cohabitaient souvent avec les pissenlits. Les trèfles à quatre feuilles n'étaient-ils pas eux aussi issus d'une mutation ? « La première feuille est pour l'espoir, la deuxième pour la foi, la troisième pour l'amour et la quatrième, naturellement, pour la chance », disait sa mère. Il fallait croire que dans l'œuvre de Dieu se trouvait la part du diable… et bien malin qui pouvait tracer la ligne.

Quand la douleur vous prenait corps et cœur, l'instinct dictait le repli, l'envie de se recroqueviller à l'abri des regards, dans un bain d'obscurité et de chaleur. Comme le bobo d'un enfant emmailloté des jours durant. Pour guérir, pourtant, le remède souverain requérait une juste dose de soleil, d'air frais, et de l'activité pour redonner du moteur à la circulation sanguine. C'est ce message d'ouverture qu'avait apporté à Chloé, comme le pissenlit, chacune de ses dernières rencontres. S'ouvrir à la douleur des autres pour panser la sienne. S'ouvrir au monde.

Elle se redressa, jetant un regard neuf sur la pelouse, une abeille, la voilure d'un arbre. Elle ne siégeait pas au sommet d'une pyramide, comme on l'aurait illustré dans un cours d'écologie. Elle faisait partie de toute cette nature et se trouvait soumise aux mêmes lois – l'homme n'était-il pas singe à 98 %, après tout ? La conscience propre à son espèce lui rendait plus impitoyable la perte de son bébé, mais cette même conscience pouvait devenir gage de guérison, par l'intuition d'un avenir par exemple. Un avenir qu'elle pouvait recommencer à dessiner.

Chloé se mit à marcher. Elle pressentait que cet avenir n'allait pas être meublé que de la *dolce vita* que lui promettait Antoni, qu'ils allaient encore devoir faire la navette entre la souffrance et la vie. Elle ne passerait pas à côté de l'occasion de pimenter les prochaines semaines de petits extras, et était assez crâne pour en faire la liste s'il le fallait, mais elle anticipait – et n'appréhendait plus – les moments de déroute. Qu'à cela ne tienne : Callie allait encore parler du bébé mort et jouerait « aux funérailles » ; Antoni retournerait courir dans le parc sans la poussette ; Noël cette année serait encore une fête entre adultes ; Chloé continuerait de croiser des femmes enceintes qui connaîtraient avant elle le bonheur de ce qu'elle avait commencé avant elles, et la prochaine grossesse, s'il y en avait une, révélerait les séquelles inévitables de leur deuil sur un fond de mauvais suspense.

Elle leva les yeux vers le ciel, toujours aussi populaire de nuages, et vers la cime des arbres. Rien ne l'empêchait de croire qu'un jour, elle aurait à nouveau le cœur aérien comme la samare de l'érable.

Devant elle étaient réunis, en silence, les personnes qu'elle aimait le plus au monde et qui faisaient cercle autour du petit cercueil. Sur son couvercle, on avait déposé l'ourson de peluche rouge, une petite auto de course familière – elle chercha Nistor le Pêcheur du regard, mais ne le trouva pas – et le toutou de naissance de Callie. Olivier et Antoni s'écartèrent pour accueillir Chloé dans le rond. Elle mit la main dans sa poche et s'avança près du cercueil. Elle fut surprise de trouver un biscuit pour chien déposé discrètement à côté. Lorsqu'elle se retourna, Madore trottait vers elle, un nœud papillon fixé à son collier. Elle comprit le manège de Calvin le Locateur de chiens – qui, pour l'occasion, s'était départi de son chapeau de cow-boy sans pour autant se résigner à la même élégance que Madore –, qu'elle reconnut à quelques pas de sa belle-sœur. Sa main au feu qu'ils avaient en commun une petite fille amourachée d'un petit chien. Chloé caressa le golden, n'osa croire que la vie pouvait être aussi douce, et lui donna le biscuit.

Elle plaça son bracelet d'hôpital avec les autres objets sur le petit cercueil pour qu'une partie d'elle accompagne Théo – à la vie à la mort. Ainsi était-elle devenue *parange* [13]. Ainsi avait-elle engendré un ange.

L'heure de l'au revoir définitif sonnait et ne restait plus à Chloé qu'un dernier geste à accomplir : la lecture d'une lettre d'adieu à Théo. Quand elle terminerait de lire, elle serait prête à s'en mettre plein les sens, elle serait prête pour la suite.

---

13. Parange ; néologisme sous forme de mot-valise. Construction du latin combinant le verbe *parere* (engendrer) et le nom *angelus* (ange) : qui a engendré un ange.

ÉPILOGUE

14 mai 2011

À Kimi,

Mon bébé,

Pour t'avoir si longtemps espéré et attendu, il nous est difficile d'accepter que ton séjour avec nous s'achève déjà. Notre douleur est ce trop-plein d'amour que le temps ne nous a pas été donné de te manifester. De cet amour, ton papa aura puisé la force, le jour même de ta naissance, de te porter au plus loin de ses bras, à la frontière du temps. Aujourd'hui, c'est ce geste que nous voulons prolonger encore quelques minutes, pour que tu te portes bien au-delà de cette frontière.

À défaut de te voir emporter le souvenir des bonheurs d'une vie que tu n'auras pas, je mets dans ton bagage la pensée que j'aurai pour toi chaque fois que j'en vivrai. J'y mets aussi quelques promesses : celle de conserver pour toujours ta place d'aîné au sein de notre famille à venir ; celle de chérir ta mémoire sans regret et celle d'être heureuse malgré le fardeau de ton absence, car de la même façon que tes parents ont souhaité si fort ton bien-être, les nôtres le souhaiteront tout autant pour nous. Juste avant de fermer ton petit baluchon, j'y ajoute toute ma fierté : on aura profité de ton court passage parmi nous pour faire faire à la science un petit pas proportionnel aux tiens et tu nous auras à jamais confirmés dans notre rôle de parents. Finalement, aussi petit sois-tu, tu ne dois pas craindre le lieu de repos que l'on t'a choisi : les vieilles âmes de la famille t'accueilleront et tes yeux jamais ouverts t'ont préservé de la peur du noir.

Allez, sois un grand garçon là où tu vas. Ne répète pas toutes les niaiseries que papa te disait à travers le cornet de mon nombril et profite de tes ailes toutes neuves, toi qui, avant de marcher, auras appris à voler.

Tu t'appelles Joa-Kim Marcotte, et je t'aime.

Ta maman
Marilou Bourassa

UNE PETITE MORTE[14]

Une petite morte
s'est couchée en travers de la porte.
Nous l'avons trouvée au matin, abattue sur
    notre seuil
Comme un arbre de fougère plein de gel.
Nous n'osons plus sortir depuis qu'elle est là
C'est une enfant blanche dans ses jupes
    mousseuses
D'où rayonne une étrange nuit laiteuse.
Nous nous efforçons de vivre à l'intérieur
Sans faire de bruit
Balayer la chambre
Et ranger l'ennui
Laisser les gestes se balancer tout seuls
Au bout d'un fil invisible
À même nos veines ouvertes.
Nous menons une vie si minuscule
    et tranquille
Que pas un de nos mouvements lents
Ne dépasse l'envers de ce miroir limpide

---

14. Anne Hébert, *Le Tombeau des rois*, Québec, Institut littéraire du
    Québec, 1953, 76 p.

Où cette sœur que nous avons
Se baigne bleue sous la lune
Tandis que croît son odeur capiteuse.

Remerciements

Un chaleureux merci, d'abord, aux gens qui ont directement apporté une pierre à l'édifice de cette œuvre. Dans l'ordre de leur intervention :

Nicole Aubry Marcotte, pour le premier élan et l'appui indéfectible ;

Geneviève Décarie, pour le rigoureux travail de fond et la chère amitié ;

Diane Spooner, psychologue en cliniques prénatale et pédiatrique, pour la disponibilité et les avis professionnels ;

Laurent Tordjman, médecin surspécialiste en clinique GARE, pour le point de vue médical et l'humour mémorable ;

Mathieu Roy, pour la franchise et la lecture universelle ;

Brigitte Sauvé, pour la tâche de révision et l'authenticité ;

Suzy Fréchette-Piperni, infirmière spécialisée dans le deuil périnatal, pour l'expertise et le partage ;

Johanne Guay, Nadine Lauzon et leur équipe d'édition, pour la confiance et la clairvoyance.

Une pensée particulière pour ceux qui ont apporté leur grain de sel en m'inspirant un personnage, ou en me soufflant le mot juste ou toute connaissance culturelle qui manquaient à mon bagage : Camille et Maïna Bettez, Richard Bourassa, Martin Chevalier, Doïna Ezaru, Cynthia Karam, Micheline Nault et Ron Touaty.

Pour les autres – anonymes du lecteur mais vedettes de mon cœur –, sachez que j'espère avec sincérité être de celles qui profitent de toutes les occasions de la vie pour vous témoigner la profondeur de mon affection. Ne sous-estimez pas le rôle que vous avez joué pour m'inspirer à aller de l'avant et prenez aussi la part de mérite qui vous revient dans l'accomplissement qu'est ce livre.

TABLE DES MATIÈRES

Suivez les Éditions Libre Expression
sur le Web :
www.edlibreexpression.com

Cet ouvrage a été composé en Adobe Caslon 12,25/15
et achevé d'imprimer en février 2013 sur les presses
de Marquis Imprimeur, Québec, Canada.

Imprimé sur du papier 100 % postconsommation,
traité sans chlore, accrédité Éco-Logo et fait à partir de biogaz.

certifié   procédé   100% post-   archives   énergie
sans chlore   consommation   permanentes   biogaz